Chère lectrice,

Ce mois-ci, plus que jamais, la haine et l'amour se mêlent dans le cœur de nos héros pour donner vie à des histoires brûlantes de passion et d'intensité.

Dans *Un irrésistible défi* (Azur n° 3483), le premier tome de la série de Lynne Graham « Amoureuses et insoumises », Kat et Mikhail, l'impitoyable milliardaire qui vient d'acheter son petit cottage, se déchirent entre quiproquos et mensonges, avant de s'abandonner – enfin – à la puissance de l'amour.

Et chez les Corretti, dans *Le secret de Valentina* (Azur n° 3484), c'est le passé qui se dresse, tel un mur infranchissable, entre Valentina, une héroïne aussi impétueuse qu'émouvante, et Gio Corretti, l'homme qu'elle s'est juré de ne jamais aimer, mais qui l'attire irrésistiblement…

En compagnie de ces inoubliables héros, je vous souhaite un excellent mois de lecture !

La responsable de collection

Un irrésistible défi

LYNNE GRAHAM

Un irrésistible défi

collection Azur

éditions HARLEQUIN

Collection : Azur

Cet ouvrage a été publié en langue anglaise
sous le titre :
A RICH MAN'S WHIM

Traduction française de
LOUISE LAMBERSON

ÉDITIONS HARLEQUIN

83-85, boulevard Vincent-Auriol, 75646 PARIS CEDEX 13.
Service Lectrices — Tél. : 01 45 82 47 47
www.harlequin.fr

ISBN 978-2-2803-0702-4 — ISSN 0993-4448

1.

Mikhail Kusnirovich s'appuya au dossier de son fauteuil en plissant les paupières.

— Tu songes vraiment à une randonnée pour enterrer ta vie de garçon, Luka ?

— Il y a déjà eu une soirée, qui a d'ailleurs été un peu trop… sulfureuse à mon goût, avoua son meilleur ami avec une légère grimace de dégoût.

— Tu ne peux t'en prendre qu'à ton futur beau-frère, répliqua Mikhail.

Il repensa aux femmes aux seins nus venant s'asseoir sur les genoux des clients, à leurs comparses, pas beaucoup plus habillées, se livrant à toutes sortes d'acrobaties de *pole dancing…* Evidemment, ce n'était pas le genre d'endroit que fréquentait Luka Volkov, universitaire renommé et auteur d'un ouvrage remarqué dans le domaine de la physique quantique.

— Peter a cru bien faire, répliqua aussitôt celui-ci.

Comme d'habitude, il prenait la défense du frère de sa fiancée. Mikhail, quant à lui, avait beaucoup de mal à supporter ce genre de banquier détestable qu'il rencontrait hélas souvent dans sa vie professionnelle d'homme d'affaires possédant plusieurs exploitations pétrolières.

— Alors que je l'avais prévenu que cela ne te plairait pas ? insista-t-il sans chercher à dissimuler son scepticisme.

Luka rougit.

— Il fait des efforts, je t'assure… Mais il se trompe parfois.

Mikhail préféra s'abstenir de tout commentaire. Dernièrement, pas un jour ne passait sans qu'il ne regrette les changements survenus chez son ami depuis qu'il fréquentait Suzie Gregory. A vrai dire, hormis leur origine russe, lui et Luka n'avaient pas grand-chose en commun. Pourtant, ils s'appréciaient et avaient toujours entretenu leur amitié en se voyant régulièrement. Bon sang, à l'époque où ils s'étaient connus à l'université, Luka aurait affirmé sans problème que Peter Gregory était un type vulgaire, ennuyeux et fat. Mais désormais il semblait avoir perdu tout jugement personnel. De toute évidence, il préférait se soumettre à celui de sa fiancée…

Mikhail serra les mâchoires. Il ne se marierait jamais — et il ne changerait certainement pas pour faire plaisir à une femme ! Il avait grandi auprès d'un père machiste, brutal et totalement insensible. Un homme qui aimait à répéter toutes sortes de proverbes sexistes, en particulier devant la gouvernante anglaise raffinée embauchée pour s'occuper de lui. Par opposition, Mikhail mettait un point d'honneur à toujours traiter les femmes avec respect. Mais pas question pour autant de les laisser diriger sa vie !

Dire que son père, indigné par les manières douces de la jeune gouvernante, avait craint qu'entre ses mains son fils unique ne devienne une femmelette !

Oh non, aujourd'hui, à trente ans, avec son mètre quatre-vingt-quinze et son corps entretenu par son goût pour les sports extrêmes, son insatiable soif de succès et ses innombrables conquêtes féminines, il était tout sauf une femmelette.

— La Région des lacs est superbe, je t'assure, insista Luka.

— Parce que tu veux faire cette randonnée en Angleterre ? Je pensais que tu envisageais d'aller passer le week-end en Sibérie…

— Je ne peux pas prendre beaucoup de congés et je ne suis pas sûr d'être capable de relever un tel défi, reconnut Luka. Je ne suis pas aussi en forme que toi, mon vieux : une petite virée dans la Région des lacs est davantage dans mes cordes. Mais pourras-tu te passer de ta limousine, de ton style de vie luxueux et de ta foule de gardes du corps pendant deux jours ?

Se priver d'accessoires de luxe ne posait aucun problème à Mikhail, mais se déplacer sans Stas, son chef de la sécurité qui veillait sur lui depuis son enfance, c'était une autre histoire. En vérité, il se voyait mal lui expliquer qu'il n'avait pas besoin de lui et de ses hommes durant quarante-huit heures.

— Bien sûr, sans problème, répondit-il avec son assurance coutumière. Un peu de privation me fera du bien.

— Il faudra également que tu renonces à emporter ta collection de téléphones mobiles…

— Je ne vois pas pourquoi…

— Je te connais, l'interrompit Luka. Si tu les prends, tu seras sans cesse dérangé par tes chères affaires.

— Bon, si tu y tiens vraiment… Je vais y réfléchir, répondit Mikhail avec réticence.

A vrai dire, la perspective de se couper de son empire était totalement inconcevable. D'un autre côté, le projet de Luka commençait à lui plaire…

Après avoir frappé à la porte, son assistante apparut. Une fois de plus, il se félicita de son choix, elle était vraiment aussi jolie qu'efficace. Grande, blonde, dans toute la splendeur de ses vingt-six ans, elle posa ses immenses yeux bleus sur eux, avant de lui dire de sa voix légèrement voilée que son rendez-vous venait d'arriver.

— Merci, Lara. Je vous appellerai dès que je serai prêt à le recevoir.

Les yeux rivés sur ses hanches minces moulées dans une jupe droite ultracourte, Luka la regarda quitter le bureau de sa démarche chaloupée.

— Dis donc, tu as embauché Miss Monde, cette fois… murmura-t-il. Vous…

— Non ! Jamais avec une employée, mon cher, répliqua Mikhail, amusé par la réaction de son ami.

— En tout cas, elle est superbe.

— Le règne de Suzie aurait-il entamé son déclin ?

— Bien sûr que non ! protesta Luka en rougissant de nouveau. On peut regarder une belle femme sans être tenté.

Quant à lui, il pouvait encore contempler les femmes et succomber à la tentation, se réjouit Mikhail. A vrai dire, la seule limite qu'il s'imposait était bien celle-là : jamais avec un membre de son personnel ! Non, il n'enviait pas le sort de son vieil ami qui, au nom de la sacro-sainte fidélité, semblait voué à réprimer ses penchants les plus naturels et légitimes. Comment Luka pouvait-il être aussi certain d'avoir trouvé l'amour éternel ? La seule pensée de devoir se limiter à une seule femme lui aurait glacé le sang. C'était contraire à la nature, bon sang !

Kat sursauta en entendant les pneus de la camionnette du facteur crisser sur les graviers de l'allée. Il ne fallait pas qu'Emmie, arrivée tard la veille au soir, soit réveillée par un coup de sonnette. Reposant en hâte la couverture en patchwork à laquelle elle travaillait, Kat se dirigea rapidement vers la porte d'entrée.

Depuis quelques semaines, elle craignait l'arrivée du courrier, redoutant une nouvelle lettre catastrophe. Mais elle adressa néanmoins quelques mots aimables au facteur et lui sourit, tout en signant l'accusé de réception qu'il venait de lui remettre.

Fière d'avoir apposé sa signature sans que sa main n'ait tremblé, Kat referma la porte. Quand elle s'était installée à Birkside, la vieille ferme héritée de son père avait représenté un véritable paradis pour elle. La région était superbe et, surtout, paisible ! Après des années de vie bancale passées avec sa mère, c'était exactement ce dont elle avait besoin.

Ancien top model, Odette ne s'était jamais résolue à mener une existence normale, même après la naissance de ses filles. Le père de Kat l'avait épousée avant qu'elle ne devienne célèbre, mais dès qu'Odette avait commencé à être connue dans l'univers de la mode, elle avait préféré la compagnie des hommes fortunés qu'elle rencontrait au cours de ses voyages professionnels. A côté d'eux, comment le modeste comptable qu'elle avait épousé aurait-il pu faire le poids ?

Dix ans après ce premier mariage, Odette avait eu des jumelles de son deuxième époux : Sapphire et Emerald. Ensuite, elle avait rencontré un joueur de polo sud-américain, avec qui elle avait eu Topaz.

Kat avait vingt-trois ans quand sa mère avait placé en famille d'accueil ses trois jeunes sœurs, au prétexte qu'elles étaient impossibles — surtout les jumelles, avait-elle précisé. Touchée par la détresse de ses demi-sœurs, Kat avait décidé de les élever et les avait ramenées à Birkside, dans le Lake District, la Région des lacs, au nord-ouest de l'Angleterre.

Au souvenir de ces premières années si heureuses, cette époque où elle nourrissait encore de grands espoirs pour leur nouveau départ dans la vie, Kat sentit un goût amer lui monter aux lèvres. Elle avait été tellement déterminée à offrir un foyer stable aux filles, ainsi que l'amour qu'elle-même n'avait pas connu enfant…

Après avoir inspiré à fond, elle déchira l'enveloppe et sortit la lettre qu'elle venait de recevoir. Comme elle s'y attendait, elle était tout aussi effrayante que les précédentes. Un frisson glacé lui parcourut l'échine. Si elle ne payait pas les sommes dues, la société de crédit immobilier prendrait possession de la maison, et l'agence de recouvrement de dettes enverrait un huissier pour récupérer le produit de la vente de ses biens.

Ainsi, elle allait tout perdre, y compris son toit ! Pourtant, elle travaillait sans relâche à la confection de couvertures en patchwork à la main… Mais hélas, à moins d'un miracle, elle ne se sortirait pas du gouffre financier dans lequel elle s'était enfoncée.

Quelques années plus tôt, elle avait emprunté une véritable fortune pour convertir la vieille ferme en maison d'hôtes. Confiante en son projet, elle avait fait aménager trois grandes chambres avec salle de bains et la cuisine avait été transformée de façon à communiquer avec la salle à manger.

Au début, le passage régulier d'hôtes venant de toute l'Angleterre, et même parfois de l'étranger, avait comblé ses espérances si bien que, stupidement, elle avait souscrit de nouveaux emprunts pour pouvoir aménager de nouvelles chambres. Malheureusement, tout avait changé à ce moment-là : les gens s'étaient mis à préférer les hôtels bon marché ou même les chambres louées par les pubs du village. Du jour au lendemain, les touristes parurent bouder Birkside, située à l'extrémité d'une longue route à une seule voie, et sans doute trop loin de la civilisation à leur goût. Pourtant, le paysage était sublime…

Elle avait alors voulu croire que les randonneurs, nombreux dans la région, pourraient faire vivre la maison d'hôtes. Mais la plupart d'entre eux rentraient en ville le soir, ou campaient. Et puis, la crise économique n'arrangeait rien…

— Eh bien dis donc, le facteur fait un de ces boucans !

Se retournant vivement, Kat vit Emmie descendre l'escalier en étouffant un bâillement.

— Mais je suppose que toi, tu es debout depuis l'aube, poursuivit sa sœur. Tu as toujours été une lève-tôt.

Une lève-tôt… Inutile de faire remarquer à Emmie qu'elle n'avait pas vraiment eu le choix, avec trois jeunes sœurs à emmener à l'école tous les matins et le petit déjeuner à préparer pour les hôtes… En tout cas, elle était heureuse de voir que sa sœur semblait plus détendue qu'à son arrivée. Lorsque le taxi l'avait déposée tard la veille, elle était allée se coucher tout de suite, prétextant une grande fatigue.

Six mois plus tôt, Emmie avait décidé de s'installer chez leur mère, à Londres. Devant l'étonnement de Kat, elle avait expliqué qu'elle désirait connaître Odette, qui avait disparu de leur vie depuis le jour où elle avait renoncé à élever ses filles, et que de toute façon elle avait besoin d'un hébergement pour la période de son stage, dans une grande entreprise de conception de logiciels.

Emmie semblait si décidée que Kat avait jugé plus sage de ne pas intervenir. Après tout, sa sœur avait vingt-trois ans. Mais cela ne l'avait pas empêchée de se faire du souci pour elle. Kat savait qu'Emmie serait dévastée lorsqu'elle finirait par comprendre qu'une seule personne comptait aux yeux d'Odette… : Odette. Et que cette dernière n'avait ni chaleur ni affection à donner à ses filles.

— Tu veux déjeuner ? proposa Kat.

— Je n'ai pas faim, soupira sa sœur en s'installant à la table de la cuisine. Mais je prendrais bien une tasse de thé.

— Tu m'as manqué, avoua Kat en allumant la bouilloire.

Sa sœur sourit et hocha la tête.

— Toi aussi, tu m'as manqué, Kat. Mais pas mon job à la bibliothèque ni la vie trépidante que l'on mène dans ce coin perdu, je t'assure ! En revanche, je te demande pardon de ne pas t'avoir téléphoné plus souvent.

— Ne t'en fais pas. Je suppose que tu étais occupée et j'espère que tu t'es bien amusée.

— M'amuser ? Vivre avec Odette a été un véritable cauchemar !

— Je suis désolée, murmura Kat en versant de l'eau bouillante sur le thé.

— Tu savais que cela se passerait comme ça, hein ? répliqua Emmie en prenant le mug que lui tendait sa sœur. Pourquoi ne m'as-tu pas prévenue ?

— J'ai pensé que maman avait peut-être changé en vieillissant, et puis, je ne voulais pas t'influencer. Je me suis dit qu'il valait mieux que tu te fasses ta propre opinion.

Emmie éclata d'un rire bref et dur avant de raconter quelques épisodes illustrant l'égoïsme incurable d'Odette.

— En tout cas, je suis revenue pour de bon, conclut-elle.

Après s'être interrompue un instant, elle reprit :

— Et autant te le dire tout de suite : je suis enceinte…

— Enceinte ? répéta Kat, horrifiée. Je t'en supplie, dis-moi que tu plaisantes ?

— Non, ce n'est pas une plaisanterie. Je suis enceinte, répéta Emmie en soutenant le regard de sa sœur.

— Et le père ?

Le beau visage d'Emmie se ferma complètement.

— C'est terminé, et je ne veux pas en parler.

Craignant de la blesser, Kat étouffa les questions qui se pressaient sur ses lèvres. Quelle erreur avait-elle pu commettre dans l'éducation d'Emmie pour quelle en arrive là ? Et si jeune !

— D'accord, je me contenterai de cela pour l'instant…

— En tout cas, je n'interromprai pas ma grossesse, la coupa Emmie, les yeux brillant de défi.

— As-tu réfléchi à la façon dont tu allais te débrouiller ? demanda Kat en se laissant tomber sur une chaise.

— Bien sûr. Je vivrai ici avec toi et je t'aiderai à tenir la maison d'hôtes, répondit sa sœur avec calme.

— Pour le moment, il n'y en a plus, d'hôtes, alors tu ne pourras pas m'aider en quoi que ce soit. Cela fait un mois que je n'ai eu personne…

— C'est la mauvaise période de l'année, ça va reprendre à Pâques, tu verras, l'interrompit Emmie avec optimisme.

— J'en doute. Et puis…

Kat hésita. Etait-ce vraiment le moment de confier ses problèmes à sa jeune sœur ? En même temps, elle finirait bien par l'apprendre, et elle se devait de lui donner toutes les clés pour comprendre la réalité de leur situation…

— Je suis endettée jusqu'au cou, avoua-t-elle.

— Endettée ? Depuis quand ?

— Depuis une éternité. Tu ne l'avais sans doute pas remarqué avant ton départ, mais cette affaire n'a jamais été très prospère.

— C'est sans doute parce que tu as emprunté beaucoup d'argent pour faire aménager la maison.

La maison, bien sûr, mais il n'y avait pas que cela. Soudain, Kat regretta de ne pas pouvoir lui dire toute la vérité. Pourtant, c'était impossible, elle ne voulait pas qu'Emmie culpabilise ! Surtout vu la situation dans laquelle elle se trouvait maintenant... C'était à croire qu'Emmie n'avait pas de chance ! Depuis quelques années, elle vivait entièrement dans l'ombre de Saffy, sa jumelle, dont la carrière de top model connaissait un envol spectaculaire. Saffy avait elle aussi subi des revers, mais pas autant qu'Emmie. Et maintenant qu'elle connaissait un succès international, elle était convoitée par les plus grands créateurs.

Saffy, l'aînée de deux minutes, avait toujours été dotée d'une nature farouchement indépendante et d'un calme qui manquaient à Emmie, plus vulnérable. Déjà meurtrie par l'indifférence de sa mère, Emmie avait été blessée dans un accident de voiture lors d'une virée avec des amis, à l'adolescence. Elle en était ressortie vivante, mais il avait fallu des années avant qu'elle ne soit complètement remise.

Cette dure épreuve avait encore renforcé sa différence avec sa jumelle à la beauté parfaite, d'autant que les imbéciles ne manquaient pas de faire des comparaisons stupides entre les deux sœurs — ce qui n'avait pas contribué à améliorer les relations entre elles. Encore maintenant, des années plus tard, les jumelles se parlaient à peine...

Kat resserra machinalement sa veste sur ses épaules. Bien sûr, de son côté, elle avait tout fait pour redonner le goût de la vie à Emmie. Et dès qu'elle avait appris que, à l'étranger, un chirurgien faisait des miracles et pourrait soigner ses jambes blessées, elle n'avait pas hésité un instant. Hélas, elle avait dû faire un emprunt colossal pour assumer le coût de cette opération sophistiquée qui éviterait à sa sœur de boiter pour le reste de sa vie.

Oh ! elle ne le regrettait pas, car l'intervention avait été une réussite complète. Cependant cet emprunt avait porté un coup fatal à ses finances.

Tout ça bien sûr, comment aurait-elle pu l'expliquer à Emmie ? Il était hors de question qu'elle se sente coupable de ses difficultés financières !

— Je sais ! s'exclama soudain Emmie. Tu n'as qu'à vendre les terres ! Je suis surprise que tu n'y aies pas pensé !

Kat réprima un petit rire ironique. Les terres, elle les avait vendues deux ans après s'être installée à la ferme, en se disant que cette somme lui serait plus utile que le loyer dérisoire que lui versait un paysan du coin. Malheureusement, élever ses trois sœurs s'était vite révélé plus coûteux qu'elle ne l'avait envisagé. Et puis Odette, qui lui avait promis de lui verser une pension pour l'éducation de ses filles, avait rapidement espacé les versements, avant de les arrêter tout à fait…

— Elles sont vendues depuis longtemps, Emmie. Et je risque de perdre la maison…

— Mon Dieu, à quoi as-tu dépensé ton argent ? demanda sa sœur d'un ton de reproche.

Kat ne répondit pas. Il n'y avait jamais eu beaucoup d'argent à la maison, mais chaque fois qu'il y en avait eu, un problème avait comme par hasard surgi, qui avait tout absorbé.

La sonnette de la porte d'entrée retentit, lui évitant d'avoir à répondre à sa sœur. Kat se leva et quitta la cuisine avec précipitation.

Roger Packham, un voisin, la salua de son hochement de tête habituel.

— Je vous apporterai du bois demain… Je vous le dépose à la même place que la dernière fois ?

— Euh… Oui. Merci beaucoup, répondit Kat, mal à l'aise.

Roger se montrait tellement généreux avec elle…

— Brr… Qu'est-ce qu'il fait froid, aujourd'hui ! poursuivit-elle en croisant les bras pour se protéger du vent glacial.

— Oui, ça souffle du nord, répliqua-t-il de son éternel air sombre. Il va neiger ce soir — et beaucoup. Vous avez des provisions ?

— Oui, merci. Mais j'espère que vous vous trompez, pour la neige… Je voudrais vous payer pour le bois, Roger. Je ne peux pas accepter ça comme un cadeau.

— Si on ne s'aide pas un peu entre voisins ! protesta-t-il. Je ne veux pas d'argent, Kat. Une femme comme vous, vivant toute seule ici… Je suis content de donner un coup de main quand je peux.

Après l'avoir de nouveau remercié, Kat rentra en se frottant les mains pour les réchauffer. Relevant la tête, elle aperçut son reflet dans le miroir de l'entrée, et se figea. C'était vraiment elle cette femme à l'air épuisé et dont les longs cheveux bouclés avaient grand besoin d'un coup de ciseaux ?

Comment expliquer alors la lueur admirative qu'elle avait cru voir dans les yeux de Roger ? Sans doute avait-elle rêvé. Il fallait dire que les hommes de son âge n'étaient pas nombreux, dans les environs, et de toute façon, vu qu'elle ne sortait de chez elle que pour aller faire les courses ou livrer ses travaux en patchwork à la boutique qui les lui achetait, elle ne risquait pas de rencontrer de don Juan…

En fait, sa vie amoureuse s'était arrêtée le jour où elle avait pris ses trois sœurs en charge. Steve, son petit ami d'alors, l'avait quittée dès qu'elle avait pris la décision d'élever les filles. Ensuite, entraînée dans le défi quotidien que représentait l'éducation de deux adolescentes compliquées et d'un petit génie, Kat n'avait même pas eu le temps de regretter Steve.

A présent, voilà qu'Emmie avait déjà plus d'expérience qu'elle dans ce domaine… Aussi était-elle mal placée pour lui demander des détails sur sa relation avec le père de l'enfant qu'elle portait. Kat ignorait quasiment tout des hommes et des relations intimes !

Lorsqu'elle regagna la cuisine, sa sœur rangeait son téléphone dans la poche de sa robe de chambre.

— Je peux prendre la voiture ? Beth m'a invitée chez elle.

De toute évidence, Emmie avait plus envie de se confier à sa vieille amie de collège qu'à sa grande sœur. Comment s'en étonner ? Pourtant, malgré elle, Kat ressentit un petit pincement au cœur.

— D'accord. Mais Roger vient de me dire qu'on annonçait de fortes chutes de neige pour ce soir. Alors, surveille la météo.

— Si ça se gâte, je resterai chez Beth, répondit gaiement Emmie en se levant de sa chaise. Je vais me préparer.

Une fois arrivée à la porte de la cuisine, elle hésita un instant, puis se retourna, l'air embarrassé.

— Merci de ne pas m'avoir fait de sermon — pour le bébé.

Kat la prit dans ses bras et l'embrassa avant de reculer d'un pas.

— Mais attention, Emmie, j'insiste : je veux que tu réfléchisses à ton avenir. Elever un enfant seule, ce n'est jamais simple.

— Je ne suis plus une gamine, riposta vivement Emmie. Je sais ce que je fais !

Réprimant un soupir, Kat la regarda partir. Elle aurait pourtant pu lui dire qu'elle était bien placée pour savoir qu'élever un ou des enfants sans pouvoir se reposer sur quiconque s'avérait parfois très difficile. Et puis, si elle perdait la maison, où vivraient-elles ? Et elle, où trouverait-elle du travail ?

*
* *

En fin d'après-midi, les premiers flocons de neige se mirent à tomber, et Kat s'approcha de la fenêtre pour contempler le paysage saisissant qui s'offrait à elle. Oui, elle avait la chance de vivre dans un lieu extraordinaire, et ce n'était pas en entretenant des idées noires que la solution à ses problèmes viendrait !

Une demi-heure plus tard, alors qu'une fine couche blanche recouvrait déjà le jardin, Emmie appela pour prévenir qu'elle passerait la nuit chez Beth.

Nullement surprise, et rassurée de savoir que sa sœur était en sécurité, Kat alla chercher du bois dans la remise, puis le déposa à côté du poêle du salon tandis que la neige tombait maintenant plus dru, tourbillonnant en nuages qui empêchaient de voir les collines.

Emmie était enceinte… Un bébé allait venir s'ajouter à leur petite famille. Elle-même en faisant une croix sur sa vie sentimentale avait accepté depuis longtemps de ne pas avoir d'enfant. Et puis elle avait ses sœurs. Mais un neveu ou une nièce… A cette pensée, elle esquissa un sourire. Cette future naissance n'était-elle pas un signe d'espoir après tout ? Soudain, la devise favorite de sa grand-mère paternelle lui revint à la mémoire : « Dieu pourvoira à nos besoins… »

Vers 20 heures, un coup de sonnette énergique la fit sursauter, suivi de trois coups vigoureux frappés à la porte. Peut-être des hôtes imprévus, songea Kat en se précipitant dans le couloir.

Après avoir ouvert sans hésitation, elle découvrit deux hommes de haute taille soutenant un troisième, plus petit, qui se tenait difficilement en équilibre sur une jambe.

— C'est une maison d'hôtes, n'est-ce pas ? demanda celui de gauche d'une voix snob.

Quant à celui de droite, un individu aux cheveux noirs d'une stature impressionnante, il semblait contenir à grand-peine son impatience.

— Pouvez-vous nous héberger pour la nuit ? demanda-t-il avec un fort accent étranger. Mon ami s'est foulé la cheville.

— Oh mon Dieu... dit Kat en s'effaçant pour leur laisser le passage. Entrez, je vous en prie. Vous devez être gelés. Je n'ai personne et j'ai trois chambres.

— Vous serez généreusement dédommagée si vous vous occupez bien de nous, répliqua le grand ténébreux de droite.

— Je m'occupe toujours bien de mes hôtes, riposta-t-elle vertement, en soutenant son regard.

Dans les yeux noirs du visiteur brillait un éclat farouche, encadré par de longs cils épais tout aussi noirs. Cet homme était vraiment immense... Pourtant, elle-même s'était toujours considérée comme grande. Outre sa carrure impressionnante, il était d'une beauté à couper le souffle, constata Kat en admirant ses hautes pommettes ciselées, ses sourcils au dessin arrogant et sa bouche au pli sensuel. Oui, c'était un homme, un vrai, de la tête aux pieds...

— Je me présente : Mikhail Kusnirovich, et voici mon ami Luka Volkov, ainsi que le frère de sa fiancée, Peter Gregory.

Mikhail tenta de maîtriser le trouble qui l'avait envahi à la vue de leur hôte. Bon sang, il n'avait jamais été si attiré par une femme dès le premier regard. Ses boucles aux riches reflets auburn ruisselaient en un flot exubérant autour de son visage à l'ovale parfait, formant un contraste saisissant avec son teint de porcelaine — sur lequel ressortaient les taches de rousseur parsemant son petit nez légèrement retroussé. Et ses yeux... ils brillaient comme des émeraudes.

Lentement, Mikhail laissa descendre son regard sur les lèvres de la jeune femme. Des lèvres pleines, rose framboise, dépourvues de la moindre trace de maquillage. A l'idée de ce qu'elle pourrait lui faire avec cette belle bouche pulpeuse, des images d'un érotisme torride jaillirent dans son esprit. Ce n'est que lorsqu'il sentit sa virilité se manifester de façon impérieuse que Mikhail s'arracha à sa contemplation. Que lui prenait-il ? Il dominait toujours les pulsions de sa libido ! Le contraire aurait représenté une faiblesse impardonnable dans sa position.

— Katherine Marshall... répondit-elle en soutenant son regard. Mais tout le monde m'appelle Kat.

Puis, elle se détourna et s'avança dans le couloir.

— Venez dans le salon, poursuivit-elle. Votre ami pourra s'allonger sur le sofa. J'espère qu'il n'a pas besoin de médecin car la route est sans doute impraticable...

— Ce n'est pas grave : juste une foulure, l'interrompit Luka. Il faut seulement que je m'assoie, pour ne plus avoir à m'appuyer sur mon pied.

Après être allée vérifier la température du poêle, leur hôtesse revint dans le salon. Malgré lui, en la regardant avancer vers eux, Mikhail ne put détourner son regard de ses petits seins hauts et fermes mis en valeur par un pull à côtes noires. Par ailleurs, elle avait la taille fine, le ventre plat — quant à ces longues jambes moulées dans un jean étroit...

Oui, ses horribles chaussons roses mis à part, cette femme était d'une beauté époustouflante... Et une sensualité inouïe émanait de tout son corps, reconnut-il, sidéré par sa propre fascination.

— Très sexy, murmura Peter Gregory.

Puis, en termes crus, il précisa ce qu'il ferait volontiers à Katherine Marshall. A quoi jouait-il ? se demanda Mikhail avec irritation. Si cette dernière l'entendait, elle les mettrait aussitôt à la porte ! Et avec raison. Dire qu'il avait cru que la participation imprévue de Peter serait le pire inconvénient de ce week-end... Mais après une matinée plutôt agréable, la situation leur avait complètement échappée. D'abord le temps avait brusquement changé, puis Luka était tombé, et ils n'avaient même pas de téléphone mobile à leur disposition pour donner l'alerte ! S'il avait géré l'ensemble de ces péripéties avec calme, la vulgarité et le manque de tact de Peter Gregory réussissaient à le faire sortir de ses gonds !

Une fois que ses compagnons eurent aidé le blessé à s'allonger sur le sofa, Kat prit un tabouret et le positionna de façon à ce que Luka puisse laisser reposer sa jambe. Le plus grand des deux hommes, Mikhail Kusnirovich, quitta alors la pièce pour aller chercher leurs sacs à dos restés sous le porche. Cinq minutes plus tard, il revint avec une petite trousse de secours et s'agenouilla pour déchausser le blessé qui se mit à pousser des gémissements de douleur. Ils se parlaient dans une langue que Kat ne parvenait pas à identifier.

Voyant Mikhail Kusnirovich sortir une minuscule bande, elle alla chercher sa propre trousse de secours, nettement mieux fournie, si bien qu'il put bander la cheville de son ami de façon plus efficace.

Kat songea alors à la canne de son père et sortit de nouveau du salon avant de revenir avec ce précieux accessoire. Quand elle l'appuya contre le côté du sofa, afin que Luka puisse la saisir sans difficulté, elle remarqua qu'il frissonnait.

Elle lui tendit le plaid en laine posé sur son fauteuil, et il la remercia avec un sourire crispé.

— Avez-vous des antalgiques ? demanda son ami en tournant les yeux vers elle.

Des yeux d'un brun profond, dont l'éclat lui coupa la parole. Sans un mot, elle s'éloigna et revint avec des comprimés et un verre d'eau. Le plus jeune des trois hommes ne semblait pas très préoccupé par la situation. Confortablement installé dans l'un des fauteuils du salon, il feuilletait nonchalamment un magazine. Quel étrange comportement ! Mais cela ne la regardait pas…

— Je vais vous montrer vos chambres, dit-elle.

Elle adressa à Luka un sourire rassurant avant d'ajouter :

— Et ne vous inquiétez pas, j'en ai une au rez-de-chaussée.

— Je voudrais me changer ! fit le troisième homme en passant impoliment devant elle. Et prendre une douche !

— Il faudra attendre un peu que l'eau chauffe.

— Vous n'avez pas d'eau chaude en permanence ? se plaignit-il d'un ton méprisant. Vous parlez d'une maison d'hôtes…

— Je n'attendais personne, répliqua Kat avec calme en se dirigeant vers l'escalier.

— Faites comme moi : ignorez-le… chuchota Mikhail en se rapprochant d'elle.

Les vibrations de sa voix profonde se propagèrent en elle, faisant naître des frissons brûlants qui lui parcoururent la peau.

S'efforçant de ne pas laisser transparaître son émoi, elle ouvrit la porte de la chambre qu'elle destinait à Peter Gregory et le laissa se débrouiller tout seul.

Lorsqu'elle se retourna vers Mikhail, ce dernier lui adressa un sourire de connivence. Les joues en feu, elle s'avança rapidement vers la chambre située au fond du couloir, pressée de s'éloigner de son hôte troublant et de retrouver la quiétude de sa cuisine.

2.

Kat contempla le bazar épouvantable qui régnait dans la pièce : le lit non fait, les affaires qui traînaient partout — sur le fauteuil, la commode, à même le plancher…

— Je…, j'avais complètement oublié que j'avais proposé à ma sœur de dormir ici cette nuit, dit-elle précipitamment. Je vais ranger et changer les draps.

Horrifiée, elle se pencha pour ramasser le jean et le T-shirt qui se trouvaient à sa portée avant de sortir en trombe de la pièce, en évitant soigneusement de regarder son hôte.

Mikhail la regarda partir avec étonnement. Pourquoi se sentait-elle aussi nerveuse en sa présence ? D'habitude, les femmes qu'il rencontrait semblaient plutôt attirées vers lui par une force magnétique. Celle-là faisait au contraire de son mieux pour garder ses distances. Depuis qu'il était très jeune, il était accoutumé à provoquer toutes sortes de réactions chez les femmes : désir, jalousie, avidité, colère, possessivité… Mais jamais il ne s'était trouvé face à une telle nervosité, mêlée d'un soupçon de crainte. Et plus étrange encore, Katherine Marshall semblait tout ignorer de lui.

A vrai dire, cet anonymat inhabituel faisait naître en lui une sensation inconnue, et fort agréable. Fils de milliardaire et milliardaire lui-même, il était habitué au luxe et aux égards, en tous lieux et en toutes circonstances. Or leur hôtesse n'avait rien manifesté lorsqu'il avait décliné son identité.

Lorsque Kat revint pour prendre le reste des affaires d'Emmie, son visiteur était entré la chambre. Sans un mot, il décrocha un soutien-gorge de la poignée de la fenêtre et le lui lança. Se sentant de nouveau rougir jusqu'à la racine des cheveux, elle l'attrapa d'un geste brusque. Le dos raide, elle se pencha pour prendre le magazine féminin et le roman resté ouvert sur lit, puis se dirigea de nouveau vers la porte.

Dieu merci, elle avait réussi l'exploit de passer devant cet homme superbe sans le regarder ! Après avoir déposé les affaires d'Emmie dans la chambre qu'elle occupait d'habitude, Kat choisit des draps dans l'armoire du palier.

Occupée à faire le lit, elle sentait le regard de Mikhail sur elle. L'ignorer plus longtemps serait malpoli. Prenant bien soin d'éviter son regard, elle demanda d'un ton crispé :

— Vous et vos amis êtes en vacances dans la région ?

— En week-end. Nous venons de Londres.

— Vous habitez là-bas ? demanda-t-elle en s'autorisant un regard.

Elle n'aurait pas dû ! Sous son regard, elle avait l'impression de se consumer. Fascinée, elle contempla la symétrie stupéfiante de ses traits, ses pommettes hautes, son nez au dessin parfait et sa bouche, si sensuelle…

Déroutée par les émotions inconnues qui se bousculaient dans son esprit et dans son corps, elle se sentait incapable de détourner le regard de cet homme.

— *Da*… Oui, dit-il alors d'une voix rauque. Mais Luka et moi sommes russes.

Emergeant de sa torpeur, Kat se détourna et roula le drap-housse en boule avant de le poser sur le fauteuil.

*
* *

Mikhail enfonça les mains dans les poches de son pantalon en ordonnant à sa libido de se calmer. Il était terriblement excité, surtout maintenant qu'elle se penchait, juste devant lui, pour lisser le drap dont elle venait de recouvrir le matelas. Ses fesses rondes et fermes étaient la tentation incarnée, et ses cuisses fuselées, moulées dans ce jean bleu délavé, semblaient réclamer l'attention de ses mains. Mikhail imagina ces longues jambes enroulées autour de sa taille tandis qu'il la pénétrait… Bon sang, la vision était si réaliste qu'il sentit tout son corps se tendre !

A en juger par les réactions qui le submergeaient, on aurait pu croire qu'il n'avait pas fait l'amour depuis des mois, alors que c'était loin d'être le cas ! Emerveillé par l'effet dévastateur que cette femme produisait sur ses sens, il ne pouvait détacher les yeux de son adorable postérieur.

Et pourquoi s'en serait-il privé ? Quelques instants plus tôt, ne l'avait-elle pas regardé avec cette expression qu'il connaissait si bien : appréciatrice, affamée… En outre, elle ne portait pas d'alliance, elle était donc libre…

Après avoir glissé les oreillers dans leurs taies au milieu d'un silence suffocant, Kat regarda de nouveau Mikhail, aussi embarrassée qu'une écolière en proie à ses premiers émois. D'habitude pourtant, elle bavardait joyeusement avec ses hôtes. C'était même ce qu'elle préférait dans son métier. Mais comment aurait-elle pu se comporter normalement à proximité de cet homme sublime, dont la bouche expressive semblait la narguer avec un humour aussi ravageur que troublant ?

Honteuse de son propre comportement, Kat reporta son attention sur le lit. Mais elle ne put s'empêcher de songer à ce petit sourire en coin qui avait éclairé le beau visage ténébreux de son invité…

— Pouvez-vous nous préparer à dîner ? demanda Mikhail d'une voix posée.

Il regarda la jeune femme se débattre avec la couette qu'elle avait du mal à fourrer dans la housse. Elle était de plus en plus nerveuse, maladroite, agitée, tandis que lui se réjouissait d'assister à une telle démonstration de vulnérabilité. Les femmes qu'il fréquentait ne se montraient jamais vulnérables. Mais la ravissante Kat manquait totalement de sophistication. Il lisait en elle à livre ouvert, ce qui le ravissait. Elle ne devait pas avoir beaucoup d'expérience en matière de sexe. Cela aurait dû l'arrêter, mais, étonnamment, ce constat ne fit qu'exacerber le désir qui le consumait.

Quand elle tourna la tête vers lui, ses boucles cuivrées ruisselèrent sur ses épaules.

— Oui, mais ce sera un repas simple, je vous préviens, dit-elle en fixant obstinément son torse.

— Nous avons tellement faim que cela n'a aucune importance.

Après avoir tapoté la couette, Kat se dirigea vers la salle de bains. A la hâte, elle rassembla les produits de toilette qui s'y trouvaient et les mit pêle-mêle dans un sac en plastique, puis prit les serviettes posées sur le rail.

— Je vais revenir nettoyer la salle de bains, dit-elle en traversant rapidement la chambre.

— Un instant, s'il vous plaît…

Mikhail étala une carte détaillée de la région sur le dessus de la commode.

— Pourriez-vous m'indiquer l'emplacement exact de cette maison ? demanda-t-il.

En réalité, il le savait parfaitement.

— Je voudrais évaluer la distance qui nous sépare de notre 4x4, poursuivit-il.

— Une minute : je reviens tout de suite !

Elle revint effectivement, les bras chargés d'une pile

de serviettes de toilette qu'elle déposa sur le lit avant de se diriger vers Mikhail.

Le cœur battant à tout rompre, Kat s'arrêta à quelques centimètres de lui. Elle sentait la chaleur émaner de son corps viril, la tiédeur de son souffle, tandis que des effluves d'eau de toilette musquée envahissaient l'air, mêlés à une senteur plus intime, plus mâle.

Terriblement troublée, elle ne put s'empêcher de tressaillir, comme si Mikhail l'avait touchée. Mortifiée, Kat sentit ses seins palpiter et leurs pointes se dresser, comme pour réclamer les caresses des longues mains appuyées sur la table.

Elle dut faire appel à toute sa volonté pour se concentrer sur la carte et poser l'index sur l'endroit précis où se trouvait Birkside — elle le connaissait par cœur pour l'avoir souvent indiqué aux hôtes de passage qui se renseignaient sur les meilleurs itinéraires et les lieux intéressants à visiter.

— Nous sommes juste ici…

La main de Mikhail couvrit la sienne, chaude, forte, et il lui caressa doucement l'intérieur du poignet sous son pouce, comme pour apaiser le pouls qui y battait avec violence.

— Vous tremblez, murmura-t-il.

Il posa son autre main sur l'épaule de Kat et la força à se tourner vers lui.

— Ce doit être… à cause du froid, balbutia-t-elle.

Oh non ! Il avait dû deviner son trouble lorsqu'elle l'avait regardée tout à l'heure. Comment expliquer autrement son brusque changement de comportement ? Dans quelques instants, il allait sans doute éclater de rire et lui dire d'arrêter de prendre ses fantasmes pour des réalités, avant de la repousser avec dédain.

Il fallait qu'elle se ressaisisse, tout de suite. Mais, malgré elle, elle commit d'abord l'erreur de le regarder.

Un véritable incendie couvait dans le regard noir qui plongea dans le sien. Cet homme semblait lire en elle, jusque dans son âme. La gorge nouée, le souffle bloqué dans ses poumons, elle sentit une flamme brûlante naître au plus profond de son être, avant de se répandre dans tout son corps.

— J'ai envie de vous embrasser, *milaya moya.*

Dieu merci, ces paroles la sortirent de sa torpeur. S'il n'avait pas parlé, elle aurait cédé sans résister à la force mystérieuse qui l'entraînait vers cet étranger. Mais le son de sa voix la fit revenir à elle. Comment avait-elle pu manquer de contrôle à ce point ? Elle recula vivement.

— Eh bien, pas moi... dit-elle d'une voix tremblante.

A ces mots, un froid glacial remplaça la chaleur qui irradiait des yeux noirs de Mikhail.

— Pour l'amour du ciel, je ne vous connais même pas..., poursuivit Kat, plus fermement.

— D'habitude, avant d'embrasser une femme je ne lui demande pas sa permission, riposta-t-il d'un ton dur. Vous devriez vous montrer plus prudente...

Comment osait-il retourner la situation ?

— Pardon ?

A vrai dire, elle était peu préparée à se défendre contre ce genre de tactique.

— Vous êtes attirée par moi, c'est évident, répliqua-t-il avec une assurance époustouflante. Je l'ai remarqué et j'y ai réagi... Vous êtes une très belle femme, et vous le savez.

A ces mots, une humiliation atroce envahit Kat. Ainsi, c'était sa faute à elle s'il lui avait fait une proposition indécente ? Pensait-il vraiment qu'elle allait se laisser accuser à tort ? Furieuse, elle serra les dents et ignora la petite voix qui insinuait que, de façon inexplicable, elle avait bel et bien encouragé ses avances...

Incapable d'y voir clair dans les émotions contradictoires qui se bousculaient en elle, elle opta pour la seule solution raisonnable : la fuite.

— Je dois aller préparer le dîner, dit-elle brièvement.

Puis elle pivota sur elle-même et quitta la chambre.

Abasourdi, Mikhail revit le moment où elle avait reculé d'un air choqué. Bon sang, il connaissait suffisamment les femmes pour ne pas faire le premier pas sans être certain de son succès !

A quoi jouait Katherine Marshall ? S'agissait-il d'une stratégie ? Venait-elle de faire une démonstration de sa conception du flirt ? A moins qu'elle n'ait eu pour but d'exacerber son désir en se dérobant après l'avoir dévoré du regard ?

Mikhail poussa un juron en russe, haut et fort. C'était absurde, impensable, impossible : pour la première fois de sa vie, il venait d'être repoussé par une femme.

Kat sortit de la viande du congélateur et la mit dans un plat. Un pot-au-feu, c'était tout ce qu'elle avait à proposer à ses hôtes. Et elle n'avait toujours pas nettoyé la salle de bains de Mikhail… Mais hors de question qu'elle retourne là-bas tant qu'il serait dans les parages !

Ce type était d'une arrogance insensée : « Vous êtes attirée par moi, c'est évident ». Comment avait-il osé lui dire une chose pareille ? Seigneur, en moins d'une heure, cet envahisseur avait réussi à chambouler son univers. De fond en comble.

Inutile de le nier : elle était bouleversée par la proximité de cet homme. Alors que cela ne lui était pas arrivé depuis des années. Oui, il avait raison sur ce point, elle ne pouvait le contredire. La dernière fois qu'elle avait été émue par une rencontre masculine, cela remontait à l'époque où elle faisait un stage dans un musée, à

Londres. Etudiante en histoire de l'art pour devenir conservatrice, elle nourrissait à ce moment-là toutes sortes de rêves, d'espoirs et de projets. Mais, même quand elle avait perdu la tête pour Steve, cela n'avait pas produit l'effet dévastateur que la présence de Mikhail Kusnirovich avait sur elle ! Avec Steve, jamais elle ne s'était sentie troublée au point de rester muette devant lui comme une imbécile !

Mikhail avait-il deviné qu'elle vivait un vrai cataclysme ? Et comment avait-il pu lui dire qu'elle était très belle ? La croyait-il stupide au point de le croire ? Il l'avait peut-être prise pour une femme légère, songea-t-elle soudain avec effroi.

Un coup léger à la porte de la cuisine, la tira de ses pensées. Luka, immobile, se tenait sur le seuil, s'appuyant sur la canne qu'elle lui avait prêtée. Le pauvre, avec tout ça, elle n'avait plus pensé à lui !

— Désolé de vous déranger, mais…

— Je vous en prie, c'est moi qui suis désolée… J'ai oublié de vous montrer votre chambre. Excusez-moi, dit-elle en se lavant les mains. J'arrive tout de suite.

— Ce n'est pas grave, je m'étais endormi. Je crois que je n'ai jamais été aussi fatigué de ma vie — alors que Mikhail, qui m'a quasiment porté durant les deux derniers kilomètres, paraissait en pleine forme ! Dire que c'est moi qui ai eu l'idée de ce week-end… soupira-t-il.

— Un accident peut toujours arriver, même quand on prend toutes les précautions, répliqua Kat.

Après être allée chercher le dernier sac à dos resté dans l'entrée, elle se tourna vers Luka.

— Venez, c'est par là, dit-elle en souriant avec chaleur.

Les conversations allaient bon train autour de la table, et Mikhail devait bien avouer que le dîner était excellent. Lorsque Kat apporta une tarte aux pommes accompagnée de crème glacée à la vanille, il se joignit aux compliments de ses compagnons.

Oui, Kat était un vrai cordon-bleu. En revanche, dîner dans la cuisine était loin de l'enchanter. Et le comportement puéril de leur hôtesse, qui avait soigneusement évité de croiser son regard toute la soirée, l'agaçait de plus en plus. Au moins, cela lui permettait de l'observer discrètement et d'admirer la façon dont, à chacun de ses mouvements, des reflets changeants jouaient sur ses cheveux bouclés. Elle n'était vraiment pas son style pourtant. En fait, plus cette femme éveillait son intérêt, plus il se sentait irrité. Et lorsqu'elle osa bavarder avec Luka d'une voix enjouée, il faillit perdre son sang-froid.

— Qu'est-ce que vous faites dans ce coin perdu, toute seule ? demanda soudain Peter Gregory d'un ton brutal.

Pas gêné le moins du monde d'avoir interrompu la jeune femme, il poursuivit :

— Vous êtes veuve ?

— Je n'ai jamais été mariée, répondit-elle avec calme. Mon père m'a légué cette maison, et je l'ai fait aménager en maison d'hôtes.

— Mais il doit bien y avoir un homme dans votre vie ?

La lueur concupiscente qui éclairait le regard de Peter Gregory donna envie à Mikhail de lui envoyer son poing dans la figure. Tout comme l'hypothèse qu'il venait de soulever.

— Je crois que cela ne vous regarde pas, répondit Kat un peu sèchement.

La sécheresse de sa voix mit Mikhail en alerte. Comment avait-il pu ne pas penser à cette éventualité ? Il lui plaisait, mais elle l'avait repoussé parce qu'il y avait un autre homme dans sa vie… Incapable de dominer plus longtemps son irritation, il se leva d'un mouvement brusque.

— Je vais chercher nos portables, dit-il en regardant Luka.

— Tu es fou ! répliqua aussitôt celui-ci en écarquillant les yeux. Il y a une tempête de neige terrible, et la voiture est loin !

— Je serais vraiment ravi de récupérer mon téléphone, l'interrompit Peter Gregory d'un ton réjoui.

Pour la première fois depuis que Mikhail était entré dans la pièce, Kat le regarda. Il ne pouvait pas sortir par ce temps, c'était trop dangereux. Après avoir soutenu un instant son regard, il quitta la salle à manger.

Sans réfléchir, elle se leva à son tour et se précipita dans le couloir. Elle rejoignit Mikhail au moment où il ouvrait la porte.

La neige tombait abondamment et, au-delà de la barrière, la route disparaissait sous un épais manteau blanc. Après un bref instant d'hésitation, elle agrippa le bras de Mikhail.

— Ne soyez pas stupide ! dit-elle en frissonnant dans l'air glacé. Luka a raison : vous n'allez pas risquer votre vie pour un téléphone !

— Je ne suis pas stupide ! riposta-t-il en la foudroyant du regard. Et ne dramatisez pas la situation : je ne risque pas ma vie sous prétexte que je sors alors qu'il y a un peu de neige !

Un peu de neige ? Mais c'était une véritable tempête qui s'abattait sur la région ! On ne voyait pas à un mètre… Il allait forcément se perdre. Décidément, de tous les machos qu'elle avait pu rencontrer dans sa vie, celui-là était le plus arrogant !

— Ecoutez-moi, commença-t-elle, à bout de patience. Si je n'avais pas de conscience, je vous laisserais volontiers mourir de froid ou tomber dans une congère au bord de la route ! Vous…

— Je ne vais pas mourir de froid, la coupa-t-il avec une ironie mordante. Je porte des vêtements adaptés, je suis en parfaite santé et je connais très bien ce genre de terrain, dans…

— Permettez-moi d'en douter ! l'interrompit Kat avec la même ironie. Vous m'avez demandé de vous montrer où se trouvait la maison sur la carte ! Utilisez la ligne fixe au lieu d'aller chercher ces fichus téléphones portables !

Mikhail contempla l'expression déterminée qui se lisait sur les traits fins de la jeune femme. Après le petit jeu auquel elle s'était livrée tout à l'heure, elle avait le culot de lui faire la leçon ? Décidément, cette femme offrait un curieux mélange… Ses yeux verts brillaient d'un éclat étrange dans son beau visage ovale, tandis que le vent faisait voler ses boucles.

Kat était d'une beauté sauvage, et terriblement excitante…

Sans plus réfléchir, Mikhail l'attira contre lui et l'embrassa à pleine bouche. Elle trembla violemment en collant son corps au sien, puis lui ouvrit ses lèvres tandis que, gagné par une folle ivresse, il savourait le goût exquis de sa bouche.

— Je serai de retour dans environ deux heures, *milaya moya*, dit-il en s'écartant pour reprendre son souffle.

Et quand elle le regarda sans un mot, les yeux confus, les lèvres gonflées et entrouvertes, Mikhail savoura son triomphe. Elle réagissait enfin comme il le souhaitait !

— Puis-je espérer que vous attendrez mon retour ?

— Non, à moins que vous ayez des pulsions suicidaires, répliqua-t-elle sèchement en portant la main à ses lèvres meurtries par son baiser. Quand je dis non, c'est non ! Et je n'ai pas changé d'avis depuis tout à l'heure.

— Vous êtes une femme étrange, murmura Mikhail en contrôlant à grand mal son exaspération.

Une exaspération mêlée d'excitation, il devait bien se

l'avouer. Comme si sa résistance attisait encore le désir qu'il avait d'elle.

— Pourquoi ? Parce que je ne dis pas ce que vous aimeriez entendre ? Eh bien, vu que je ne suis pas la belle au bois dormant et que vous n'êtes pas le prince charmant : vous m'avez embrassée pour rien !

Kat regarda un instant Mikhail s'éloigner dans la neige avant de rentrer dans la maison et de claquer la porte derrière elle. Ce type était arrogant, borné, stupide ! Brusquement, elle aperçut Luka qui la regardait d'un air ébahi depuis le seuil du salon.

— Mikhail va régulièrement faire du trekking dans l'Antarctique et en Sibérie, dit-il lentement.

Et alors ? songea-t-elle en se dirigeant vers la cuisine sans s'arrêter. De toute façon, il était hors de question qu'elle songe une seconde de plus à ce macho qui se prenait pour l'homme le plus irrésistible de la planète. Quant à son baiser…

Kat repoussa les sensations fabuleuses qui se propageaient en elle au souvenir de la caresse de ses lèvres fermes, de sa langue audacieuse, de son souffle chaud sur sa peau…

3.

Kat resta assise dans son fauteuil jusqu'au moment où elle entendit enfin la porte d'entrée s'ouvrir et se refermer. Mikhail était rentré sain et sauf ! Elle s'était fait tellement de souci à son sujet qu'elle n'avait pu se résoudre à se coucher.

Alors qu'elle n'avait plus de raison de s'inquiéter, elle entrebâilla la porte de sa chambre et tendit l'oreille pour écouter les voix des trois hommes montant du rez-de-chaussée.

— Nous serons de retour à Londres pour le déjeuner, s'exclama Luka avec un soulagement manifeste.

— Tu es sûr que tu veux partir dès demain matin, Mikhail ? demanda alors Peter Gregory d'un ton salace. Notre hôtesse ne t'attend pas ? Je parie cinq livres que tu n'arriveras pas à l'attirer dans ton lit avant demain !

C'était bien fait pour elle, songea Kat en refermant aussitôt sa porte sans faire de bruit. Au lieu d'espionner ses hôtes, elle aurait mieux fait de se coucher. Une vague de dégoût l'envahit. Certains hommes se comportaient comme des bêtes, et Peter Gregory en faisait de toute évidence partie. Allaient-ils vraiment parier sur les chances de Mikhail de coucher avec elle cette nuit ? Affolée, elle éteignit toutes les lampes, de crainte qu'il ne croie qu'elle l'attendait.

De toute évidence, Luka et Peter Gregory l'avaient vue embrasser Mikhail et avaient mal interprété ce baiser. Assaillie par un mélange de honte et d'humiliation, Kat se dirigea à tâtons vers son lit. Elle était si ignorante de tout ce qui touchait au sexe et aux relations avec les hommes… Après avoir surpris ces propos insultants, n'aurait-elle pas dû se précipiter au rez-de-chaussée pour remettre ce goujat de Peter Gregory à sa place ? En tout cas, c'est certainement ce qu'aurait fait une femme plus aguerrie !

Décidée à oublier ce moment de folie, elle se coucha. Mais à peine réfugiée sous sa couette, le souvenir du baiser de Mikhail revint la hanter. Elle l'avait laissé l'embrasser, sans même tenter de l'en empêcher. Elle avait même savouré chaque seconde de cette excitation insensée qui avait pris possession d'elle tandis que la bouche ferme de Mikhail dévorait la sienne.

Un léger bruit derrière sa porte la fit sursauter, et elle retint son souffle. Lorsqu'elle entendit trois coups discrets, elle se sentit gagnée par une honte atroce tandis que son cœur tambourinait dans sa poitrine.

Heureusement, son visiteur nocturne n'insista pas et elle entendit bientôt ses pas s'éloigner dans le couloir. Toutefois, elle ne s'autorisa à respirer que lorsque la porte de la chambre de Mikhail se referma avec un petit bruit mat.

Le lendemain matin, Kat retint un gémissement en voyant sa tête dans le miroir : comme elle avait passé une bonne partie de la nuit à se reprocher son moment d'égarement absurde, d'horribles cernes soulignaient ses yeux, et elle avait une mine épouvantable.

Après une douche bien chaude, elle se sentait un peu mieux et descendit dans la cuisine pour préparer un copieux petit déjeuner pour ses hôtes. Elle commençait à peine à s'activer lorsqu'elle sentit la présence de Mikhail. Oui, sans même tourner la tête vers lui, elle savait qu'il était là, dans la pièce. S'efforçant d'ignorer les picotements qui fourmillaient sur sa nuque, elle prit une poêle dans le placard et la posa sur la cuisinière. Mais quand une main se posa sur son bras, Kat sursauta violemment et se retourna.

Le cœur battant à tout rompre, elle se sentit rougir sous le regard incandescent de Mikhail.

— Hier soir, je comptais vous voir à mon retour.

— Désolée que vous ayez perdu votre pari, répliqua-t-elle d'un ton sec.

— Quel pari ?

— Je vous ai entendus, vous et vos amis…

— Oh ! vous parlez de cela, l'interrompit-il avec un sourire moqueur. Je suis un peu trop âgé pour me prêter à ce genre de petit jeu puéril !

Ainsi, il n'était même pas honteux ! Furieuse, elle jeta un coup d'œil vers la porte de la salle à manger. Luka était déjà attablé, et Peter Gregory bavardait au téléphone, dans l'entrée. Elle se rapprocha d'un pas de Mikhail et baissa la voix :

— Vous êtes venu frapper à ma porte.

A sa grande stupeur, il éclata de rire.

— Et alors ? laissa-t-il tomber en la regardant droit dans les yeux.

Kat se détourna sans un mot et ouvrit le four pour en sortir les assiettes qu'elle avait mises à chauffer.

— Je ne comprends pas le problème, insista Mikhail d'un ton impatient.

Après avoir posé la cafetière sur la table, Kat se tourna vers la fenêtre. Dans le champ voisin, Roger était déjà au volant de son tracteur. Que faisait-il dans la neige à cette heure-là ? Quant à Mikhail, elle se fichait bien qu'il comprenne ou non. Dieu merci, il allait partir et elle ne le reverrait plus jamais. Elle n'aurait plus alors qu'à oublier les sensations qu'il avait fait naître en elle.

Elle se retourna vers Mikhail qui, les mâchoires serrées, la dévisageait en silence.

— Je souhaite vous revoir, dit-il d'un ton neutre.

— Non !

— Vous n'avez rien d'autre à me dire ? gronda-t-il.

— Non. Ou plutôt si : vous ne m'intéressez pas, affirma-t-elle en redressant la tête.

— Menteuse, murmura Mikhail.

Kat s'apprêtait à répliquer vertement lorsqu'elle entendit un ronronnement de moteur se rapprocher de la maison. Un hélicoptère. Que Mikhail avait fait venir, sans aucun doute.

— Vous pensez vraiment qu'aucune femme ne peut vous résister, n'est-ce pas ? laissa-t-elle tomber avec mépris. Eh bien, en ce qui me concerne, j'ai hâte de vous voir partir !

Elle se détourna et jeta un coup d'œil par la fenêtre avant de se remettre à la préparation du petit déjeuner. Deux hélicoptères étaient en train d'atterrir dans le champ de Roger. C'était pour eux qu'il avait déblayé la neige, tout s'expliquait.

— Allez vous installer, j'apporte le petit déjeuner, dit-elle sans se retourner.

— Je n'ai pas faim, répliqua Mikhail d'un ton sec.

Décidée à le remettre à sa place, Kat se retourna vers Mikhail mais son visage sombre l'arrêta. Manifestement furieux, il la contemplait fixement. Etait-il possible qu'il soit réellement blessé par son attitude ? Qu'elle se trompe sur son compte ? Non, elle n'avait pas rêvé, il avait bien frappé à sa porte la veille au soir…

A ce moment, des bruits de bottes résonnèrent sur le sol dallé de la véranda et, bientôt, des hommes costauds parlant russe envahirent la cuisine. Celui qui semblait être le chef, un homme aux cheveux grisonnants, salua Mikhail avec chaleur, visiblement soulagé.

Kat offrit du café à tout le monde, accompagné de biscuits secs.

Pour que deux hélicoptères viennent le chercher, Mikhail devait être un homme très important. Elle lui jeta un regard à la dérobée. Etait-il banquier, comme

Peter Gregory ? Ou un redoutable homme d'affaires immensément riche ?

Se tournant vers Luka, Kat le vit sortir de l'argent de sa poche et le poser à côté de la facture qu'elle avait placée sur la table. Mikhail s'en saisit d'un geste vif, y jeta un bref coup d'œil, puis posa son regard étincelant sur elle.

— Vous ne demandez pas assez, dit-il en enfonçant la facture dans la poche de sa veste.

Ensuite, il ramassa l'argent de Luka et le fourra dans la main de son ami, avant de sortir son propre portefeuille et de poser plusieurs billets sur la table.

— Merci, dit Kat d'une voix dénuée de toute gratitude.

— Eh bien moi, je ne vous remercie pas, répliqua-t-il en la toisant avec arrogance. Vous n'avez rien fait pour m'être agréable…

Kat faillit éclater de rire. A quoi jouait-il ? On aurait dit un sultan informant une humble concubine de son harem qu'elle devait faire un effort pour se montrer à la hauteur de ses exigences… Mais quand ses yeux rencontrèrent ceux de Mikhail, son rire se bloqua dans sa gorge, et un frisson la parcourut tout entière.

L'un après l'autre, les hommes sortirent de la cuisine. Mikhail fut le dernier à partir, mais l'homme aux cheveux grisonnants l'attendait sur le seuil. Avant d'atteindre la porte de la cuisine, il se retourna vers elle.

— Je reprendrai contact avec vous, dit-il d'une voix rauque.

— Ce n'est pas la peine, répliqua Kat, les yeux baissés.

— Regardez-moi ! ordonna-t-il.

Plus ébranlée par le ton impérieux de sa voix qu'elle ne l'aurait souhaité, Kat obéit. Et quand elle vit la chaleur brûlante qui couvait au fond des yeux sombres de Mikhail, elle sentit un feu brûlant se propager dans tout son corps.

— Je reprendrai contact avec vous, répéta-t-il.

Une lueur de défi traversa son regard, puis il se détourna et quitta la cuisine, suivi de l'homme plus âgé.

Kat referma pensivement la porte sur eux.

Tout en traversant à grands pas le terrain d'atterrissage improvisé, Mikhail se tourna vers Stas, le fidèle chef de la sécurité qui veillait sur lui depuis toujours. L'homme en qui il avait le plus confiance au monde.

— Katherine Marshall : je veux un rapport complet et détaillé sur elle.

— Pourquoi ? s'enquit Stas en haussant les sourcils.

Bon sang, il avait bien entendu l'échange tendu qui venait d'avoir lieu dans la cuisine, songea Mikhail avec agacement. Pourquoi ces questions ?

— Parce que j'ai l'intention de lui apprendre les bonnes manières, répliqua-t-il d'un ton sec avant de monter à bord du premier hélicoptère.

Une fois que les deux appareils eurent décollés du champ de Roger, Kat se remit au travail. Heureusement qu'elle avait de quoi s'occuper — physiquement et mentalement. Mais lorsqu'elle eut ôté le drap du lit où avait dormi Mikhail, elle ne put s'empêcher d'y enfouir son visage.

Quand elle se rendit compte de son geste, elle se précipita vers le lave-linge et y enfonça vigoureusement le drap. Avait-elle perdu la tête ? Elle venait de renifler un drap… Voilà qu'elle se conduisait comme une adolescente ! C'était comme si Mikhail avait appuyé sur un interrupteur secret et déclenché un processus qu'elle ne savait comment arrêter !

En fin d'après-midi, Roger vint lui apporter le bois de chauffage promis. Lorsqu'il eut tout entreposé avec soin dans la petite remise, Kat l'invita à boire une tasse de thé.

— Je suis heureuse d'avoir eu ces hôtes inattendus, avoua-t-elle en reposant sa tasse vide sur la table de la cuisine. Les affaires ne sont pas brillantes, ces temps-ci…

— Oui, mais héberger trois hommes, ça ne doit pas être commode, remarqua Roger d'un ton désapprobateur. Une femme qui vit comme ça, toute seule…

— Non, cela ne m'a posé aucun problème, mentit Kat en souriant avec désinvolture. Et puis, Emmie est revenue de Londres, je ne serai plus seule. Elle est restée au village cette nuit à cause du mauvais temps, mais elle va rentrer.

Et maintenant que Mikhail était parti, Kat pourrait oublier les réactions absurdes qu'il avait fait naître en elle, ainsi que l'humiliation et la honte qui l'avaient envahie.

Et l'oublier, lui, Mikhail.

— Laisse tomber, conseilla Stas en posant le dossier sur le bureau de Mikhail. Ce n'est pas ton genre de te servir de ce type d'infos privées contre une femme…

Sourd à ce conseil, Mikhail souleva le dossier et l'ouvrit. Puis, avec de plus en plus d'intérêt, il lut les informations concernant Katherine Marshall, nota les chiffres, et saisit soudain le sens des paroles de Stas : Kat était au bord de la faillite et se battait pour garder la maison…

A présent il comprenait pourquoi elle avait semblé si avare de sourires. Vu le gouffre financier dans lequel elle était plongée jusqu'au cou, la jeune femme devait vivre dans un stress permanent… Etait-ce pour cela qu'elle l'avait repoussé aussi brutalement au cours de ce fichu week-end ?

Stas avait raison en tout cas : elle représentait la cible parfaite. Il aurait pu sans difficulté profiter de la situation catastrophique dans laquelle elle se trouvait et s'en servir pour la forcer à faire ce qu'il attendait d'elle. Comme l'aurait fait son père s'il avait convoité une femme. Le cœur de Mikhail se serra tandis qu'il pensait à sa mère, poupée fragile brisée par un mari tyrannique. Mais il n'était pas Leonid Kusnirovich, et Katherine Marshall n'avait rien d'une poupée fragile. Cette femme était une créature mal élevée qui avait osé le défier !

Pourquoi ne pouvait-il s'empêcher de continuer à penser à elle, alors ? Trois semaines avaient passé depuis cette rencontre, et il songeait à elle chaque jour. Le désir qu'il ressentait pour elle tournait même à l'obsession. Et le fait de s'en rendre compte, sans pouvoir s'en débarrasser, le perturbait de plus en plus. S'il voulait retrouver sa tranquillité d'esprit, il fallait qu'il revoie Kat.

Il était suffisamment riche pour résoudre ses problèmes financiers, mais restait toutefois un problème insurmontable : il avait pour principe absolu de ne jamais payer une femme.

Une semaine plus tôt, Kat avait reçu une lettre l'informant que sa maison serait saisie à la fin du mois. Après la succession d'avertissements qui l'avaient précédée, cette décision ne l'avait pas étonnée — elle l'avait anéantie.

Lorsque son avocat l'avait appelée la veille pour lui demander de passer le plus rapidement possible, elle s'était préparée à entendre le pire. En effet, six mois plus tôt, M. Green lui avait déjà dit qu'elle devait absolument vendre Birkside et rembourser ce qu'elle pouvait de ses dettes, avant de repartir de zéro. Mais comment aurait-elle pu renoncer à la maison qui représentait tant pour elle et ses sœurs ?

Birkside était un havre, un port d'attache, où toutes les trois pouvaient trouver refuge lorsque la vie devenait trop dure dans le monde extérieur. Et pour Kat, perdre cette maison, cela aurait été perdre une part d'elle-même.

Mais peut-être aurait-elle dû l'écouter car, après des mois de stress, cela allait bien finir par arriver.

Aussi fut-elle particulièrement étonnée par le visage avenant de son avocat, lorsqu'elle entra dans son bureau.

— J'ai reçu cette lettre hier, dit Percy Green en la lui tendant. Elle contient une proposition incroyable : Mikhail Kusnirovich est disposé à régler l'intégralité de vos dettes et à acheter Birkside, en vous offrant la possibilité d'y rester comme locataire.

— Mikhail Kusni… ? commença Kat d'une voix tremblante.

— Kus-ni-ro-vich, répéta lentement l'avocat en croyant lui venir en aide. J'ai vérifié, tout est légal, mais je ne comprends absolument pas comment il a pu être informé de vos difficultés financières. C'est un magnat du pétrole, un homme d'affaires redoutable, et milliardaire.

— Mi… milliardaire ? balbutia Kat. Un magnat du pétrole… ?

Percy Green la regarda d'un air perplexe.

— Vous le connaissez ? Vous l'avez déjà rencontré ?

En proie à un embarras indescriptible, Kat expliqua brièvement comment les trois hommes étaient venus passer la nuit chez elle.

— Et vous dites qu'il propose de rembourser mes emprunts et d'acheter Birkside ? Pourquoi ferait-il cela ? demanda-t-elle d'une voix mal assurée.

— Peut-être s'agit-il d'un caprice d'homme riche ? fit Peter Green avec une petite moue perplexe. En tout cas, pour vous, c'est un miracle inespéré ! Parce que sinon vous seriez à la rue aujourd'hui.

— En effet… murmura Kat.

Après avoir remercié et salué son avocat, elle quitta l'étude et reprit la direction de la gare.

Durant tout le trajet du retour, elle regarda défiler le paysage derrière la vitre sans rien voir. Mikhail était richissime… Il proposait de rembourser toutes ses dettes et d'acheter Birkside… Mais pourquoi ? se répétait-elle en boucle. Qu'allait-il lui demander en retour ? Il avait beau posséder une fortune colossale, ce genre d'homme ne donnait rien gratuitement, elle en était certaine. Elle n'était même pas une sorte d'organisme caritatif auquel il pourrait faire un don déductible de ses revenus…

Alors, que voulait-il ? Faire une démonstration de force ? La punir pour avoir osé le repousser ? Enfin, puisqu'il lui épargnait de se retrouver sans abri, il était difficile de considérer sa proposition comme une punition…

Dès qu'elle fut rentrée à Birkside, Kat composa le numéro du cabinet d'avocat figurant sur la lettre envoyée à Percy Green, et expliqua qu'elle avait besoin de joindre Mikhail Kusnirovich. Avec une réticence manifeste, son interlocutrice lui passa un collègue. Cette fois, l'homme lui donna le numéro de téléphone qu'elle cherchait, dès qu'elle se fut présentée.

Au bout de plus d'une heure au téléphone — et l'impression d'avoir répondu mille fois aux mêmes questions —, Kat obtint enfin un rendez-vous avec Mikhail pour la fin de la semaine.

Et quatre jours plus tard, Emmie la déposa à la gare.

Vêtue d'un ensemble pantalon noir qu'elle n'avait pas porté depuis l'enterrement d'un voisin, Kat se sentait endimanchée, anxieuse et en colère. A quoi jouait cet homme ? Qu'attendait-il de sa proie ? Quand même pas… Non ! Un homme tel que lui avait sans aucun doute des femmes bien plus sophistiquées et attirantes à sa disposition pour apaiser son appétit sexuel !

Quand elle arriva au dernier étage de l'impressionnant immeuble qui hébergeait le siège de la société de Mikhail, Kat fut accueillie par une superbe blonde au charme scandinave.

— Ainsi, c'est vous, Katherine Marshall, s'exclama la jeune femme sans dissimuler son étonnement. Comment Mikhail en est-il venu à acheter votre maison ?

— Je n'en ai pas la moindre idée, répondit Kat avec sincérité. Mais j'ai bien l'intention de le découvrir.

La blonde la dévisagea d'un air réprobateur, puis lui demanda de la suivre dans un long couloir aux murs laqués blancs.

— Soyez brève, dit-elle en s'arrêtant devant une large porte. Il a un autre rendez-vous dans dix minutes.

Kat retint la réplique qui lui montait aux lèvres et passa ses mains moites sur son pantalon. Puis la porte s'ouvrit, et elle franchit le seuil, aveuglée par la lumière qui se déversait à flots par d'immenses baies vitrées.

4.

Sans lui laisser le temps de s'habituer à la clarté de la pièce, Mikhail se dirigea vers elle et lui prit les deux mains.

— Je suis si heureux de vous revoir, *milaya moya*...

Il était si grand, si sombre, et si beau dans ce costume noir, sans doute coupé sur mesure, que Kat resta figée, comme paralysée. Le cœur battant la chamade, elle plongea son regard dans celui de Mikhail. Ses yeux étaient encore plus sombres que dans son souvenir, son regard plus envoûtant... Totalement décontenancée par le sourire qui illumina soudain son visage arrogant, elle sentit une chaleur importune se répandre en elle.

— Je n'avais pas le choix, répondit-elle en dégageant ses mains d'un geste brusque. Puisque vous voulez acheter ma maison !

— Je l'ai déjà achetée, en toute légalité. J'ai acquis une propriété occupée par une charmante locataire, expliqua-t-il d'une voix suave. La perspective d'avoir affaire à un propriétaire bienveillant vous paraîtrait-elle plus redoutable que celle de vous retrouver sans abri, et de voir des huissiers procéder à la saisie de tous vos biens ?

Kat eut du mal à garder son sang-froid. Non seulement, Mikhail lui rappelait qu'elle se trouvait dans une situation désespérée, mais en plus il avait manifestement fouillé dans sa vie privée. Bien sûr, elle était forcée de reconnaître que le fait de ne plus avoir à redouter l'arrivée des huissiers lui procurait un immense soulagement. Elle allait enfin pouvoir respirer, sans craindre le moindre coup de sonnette…

— Asseyez-vous, je vous en prie… dit Mikhail en désignant un élégant sofa en cuir couleur ivoire. Je vais demander qu'on nous apporte du café.

— Ce n'est pas la peine, répliqua Kat en s'efforçant de ne pas se laisser troubler par son charisme.

— C'est moi qui décide de ce qui vaut la peine, répondit-il en soulevant le téléphone blanc posé sur son bureau.

Décidée à dissimuler au mieux les émotions qui se bousculaient en elle, Kat s'assit sur le sofa avec le plus d'élégance possible. Son regard fut alors attiré par une grande peinture abstraite dont les teintes vibrantes représentaient la seule touche de couleur dans l'espace tout d'acier, de cuir et de verre du bureau. Elle reconnut tout de suite la toile : du temps où elle faisait ses études, cette œuvre valait une fortune…

Ainsi, elle avait pour propriétaire un milliardaire, qui avait versé des sommes colossales pour régulariser sa situation. Elle n'avait plus aucune dette — sauf envers Mikhail Kusnirovich… Et elle n'était pas sûre d'avoir envie d'être la débitrice de cet homme.

— Pourquoi avez-vous fait cela ? demanda-t-elle d'une voix crispée.

Mikhail haussa une épaule nonchalante. Il savait bien que ce n'était pas une réponse, pas celle qu'attendait Kat en tout cas, mais il n'avait pas l'intention de lui en fournir d'autre. Qu'aurait-il dit d'ailleurs ? Il ne pouvait invoquer ni la générosité ni l'altruisme. Non, c'était bien plus élémentaire et égoïste : il se comportait en prédateur, et sans le moindre scrupule. Il désirait cette femme comme il n'en avait jamais désiré aucune autre. Il devait la posséder.

Caressant délibérément son visage des yeux, il se délecta de voir les hautes pommettes de Kat se colorer d'une adorable roseur qui mettait en valeur ses sublimes yeux verts. Comme il aimait la voir se troubler. C'était si merveilleux, incroyable même, qu'une femme moderne puisse encore être sujette à un émoi aussi charmant.

Il contempla ses lèvres pulpeuses, sans la moindre trace de rouge à lèvres, puis laissa descendre son regard sur son cou, avant de s'attarder sur la peau laiteuse dévoilée par l'encolure du chemisier qu'elle portait sous sa veste noire.

Le désir l'assaillit avec une telle violence qu'il eut toutes les peines de monde à se retenir de vérifier, du bout des doigts, si cette peau était aussi douce et fine qu'elle le paraissait.

Non, ce n'était pas le moment, Kat risquerait de le repousser. Mais, bientôt, il se le jurait, il connaîtrait le goût de cette peau !

La chaleur qui palpitait dans l'atmosphère ne pouvait pas avoir échappé Kat. D'ailleurs, quand il avait baissé les yeux sur ses lèvres, il aurait juré qu'elle avait été traversée par un long tremblement. Et sous sa chemise si convenable, il devinait les pointes de ses adorables seins qui se dressaient de façon insolente. Comme pour réclamer ses caresses…

Mais lorsqu'elle releva le regard vers lui, une détermination farouche se lisait dans les yeux de la jeune femme. Qu'importe, il ne s'était pas attendu à ce qu'elle lui facilite la tâche !

— Je vous ai demandé pourquoi vous aviez fait cela, insista-t-elle. Vous me connaissez à peine… Vous avez pris le temps de vous pencher sur ma situation financière alors que je ne vous suis rien, et en réglant mes dettes vous me placez dans une situation de dépendance vis-à-vis de vous…

— Ce n'était pas mon but, mentit Mikhail.

Pourquoi le nier ? Il lui plaisait d'avoir créé un lien entre eux un lien qu'elle était forcée d'accepter. Le fait de ne pas lui avoir laissé le choix ne le dérangeait absolument pas : n'avait-il pas permis à Kat de garder sa maison, alors que sans son intervention elle l'aurait perdue ?

Agacée qu'il n'ait toujours pas répondu à sa question, Kat redressa fièrement le menton.

— A quoi bon me dire que ce n'était pas votre but, puisque le résultat est là : je suis votre débitrice d'une somme colossale ?

— Mais si je refuse de vous reconnaître une quelconque dette envers moi, vous n'êtes pas ma débitrice, répliqua Mikhail avec un calme insupportable. Je vous ai simplement tirée d'un mauvais pas : vous n'avez plus qu'à me remercier.

— Vous espérez vraiment que je vais vous remercier de vous être introduit dans ma vie sans m'avoir demandé mon avis ? Et puis me croyez-vous stupide au point de ne pas comprendre que vous attendez quelque chose de moi en échange de votre… générosité ?

— Je n'attends rien que vous ne soyez disposée à m'offrir, répliqua-t-il avec un imperceptible sourire en coin.

Les épaules raides à en avoir mal, Kat le regarda droit dans les yeux. Il n'était plus temps de tergiverser, elle devait savoir.

— Espérez-vous que je devienne votre maîtresse ? demanda-t-elle crûment.

A ces mots, Mikhail éclata d'un rire franc et sonore.

— Pourquoi pas ? Comme la plupart des hommes dignes de ce nom, j'apprécie la compagnie des femmes, surtout quand elles sont aussi ravissantes que vous.

Seigneur, s'il savait à quel point elle était inexpérimentée en matière de sexe, son intérêt s'évanouirait aussitôt…

— Et je suis prêt à vous faire une proposition encore plus attrayante, poursuivit Mikhail.

— Et que je ne pourrai pas refuser, c'est cela ? demanda-t-elle, folle de rage.

Comme elle le soupçonnait depuis le début, il arrivait enfin à son véritable but. Il désirait qu'elle cède et devienne sa maîtresse, tout en feignant de croire qu'elle ne le faisait pas en retour de sa prétendue générosité. Mikhail était un maître chanteur subtil. Et le pire, c'était qu'il ne l'en attirait pas moins pour autant…

— Si vous acceptez de passer un mois sur mon yacht avec moi, Birkside sera à vous au terme de notre arrangement. Vous en serez l'unique propriétaire — en toute légalité, cela va sans dire.

Mikhail regarda les émotions se succéder sur le visage de la jeune femme à mesure qu'elle comprenait l'ampleur de sa proposition. Bien sûr, frôler l'infraction à son principe sacré lui coûtait. C'était un signe de plus que depuis qu'il avait rencontré cette femme il n'était plus lui-même. Il la désirait trop. L'intensité de l'attirance qu'il éprouvait pour Kat représentait un risque, mais en même temps, plus elle le défiait et lui résistait, plus il la désirait. Et même si la part de son esprit restée saine lui répétait qu'aucune femme ne valait le temps et l'effort qu'il dépensait pour Kat, l'excitation l'emportait chaque fois sur la prudence.

— Un mois… sur votre yacht ? répéta-t-elle d'une voix blanche. Même si j'acceptais, il serait hors de question que je couche avec vous !

— Je vous trouve très séduisante et je serais ravi de partager mon lit avec vous, mais je n'y ai jamais contraint une femme et ne m'y abaisserai jamais. Le sexe ne fera partie de notre arrangement que si vous en avez envie. Je désire profiter de votre compagnie pendant un mois, vous avoir à mon bras en public et vous voir jouer le rôle d'hôtesse et de maîtresse des lieux quand je recevrai à bord.

*
* *

Kat n'en croyait pas ses oreilles. Mikhail lui proposait des vacances de luxe, avec une prime énorme à la clé, sans exiger de sexe en retour. Il affirmait avec calme que si elle ne souhaitait pas coucher avec lui, il respecterait néanmoins le pacte et lui offrirait Birkside sur un plateau pour la remercier de lui avoir tenu compagnie !

— Si j'exigeais que le sexe fasse partie de notre arrangement, ce serait sordide, poursuivit-il avec flegme. Je respecte trop les femmes pour les traiter de cette façon.

— Je pourrais vous servir de compagne et d'hôtesse, mais je n'accepterai jamais de coucher avec vous, insista Kat d'une voix tremblante.

Mon Dieu, elle devait être écarlate…

— Je suis sincère, reprit-elle en redressant le menton. Je ne voudrais pas qu'il y ait de malentendu à ce sujet.

Mikhail ne répondit pas. A vrai dire, il ne voyait aucun avantage à se disputer avec Kat. Elle avait beau dire tout ce qu'elle voulait, le désir qui le consumait la ravageait elle aussi. Elle coucherait avec lui, il n'en doutait pas un instant. Tout simplement parce qu'elle ne pourrait réprimer indéfiniment son désir, surtout lorsqu'ils passeraient des heures ensemble. En dépit de ses protestations, elle finirait par enrouler ses jambes superbes autour de sa taille en le suppliant de la prendre.

Une femme lui avait-elle jamais dit non ? Lorsqu'il lui avait fait des avances, Kat avait eu peur, il le comprenait à présent. Et puis il s'y était mal pris ; il avait pris l'habitude de se montrer franc avec les femmes. Mais si elle avait besoin de douceur pour leur première fois, eh bien il était tout prêt à lui en accorder, même si ce genre d'approche était tout à fait inhabituel chez lui.

En lisant le rapport que lui avait remis Stas, il avait

appris que Kat vivait seule depuis des années. Dans ces conditions, pas étonnant qu'elle manifeste de la réserve. Il pouvait même comprendre qu'elle se montre un peu farouche, mais il demeurait persuadé qu'elle finirait par succomber à l'attirance qui vibrait entre eux. De toute façon, les femmes étaient toujours flattées par le désir brûlant que leur témoignait un homme…

La superbe blonde réapparut avec le café, tirant Kat de ses pensées. La femme posa tour à tour ses grands yeux bleus sur elle et Mikhail sans dissimuler sa curiosité. Puis elle posa le plateau sur la table basse et quitta la pièce de sa démarche de mannequin.

Se sentant observée par Mikhail, Kat prit l'une des deux tasses avec soucoupe sans attendre d'y être invitée, et s'efforça de se détendre pour laisser couler le liquide à l'arôme parfumé dans sa gorge. Pas question de montrer sa faiblesse et sa vulnérabilité : Mikhail s'en serait aussitôt servi contre elle. Et de toute évidence il ne reculerait devant rien pour arriver à ses fins.

Bien sûr, elle avait encore la possibilité de s'en aller, et d'admettre qu'elle avait fini par perdre sa maison, comme elle l'avait redouté depuis des mois. Mikhail serait surpris, furieux aussi sans doute, mais qu'aurait-elle gagné, de son côté ?

Avait-elle le choix ? Et si elle avait la force de prendre Mikhail à son propre jeu et de le battre, elle gagnerait en plus Birkside à la fin de l'épreuve.

Maintenant qu'Emmie était enceinte, elle avait besoin plus que jamais de ce havre. Birkside représentait bien plus que des vieilles pierres : c'était la seule maison qu'elle avait jamais eue, et c'était là qu'elle s'était créé un nouveau foyer, pour ses sœurs et elle. Que resterait-il de cette famille s'il n'y avait plus de maison pour l'accueillir ?

Kat contempla l'homme à la beauté ténébreuse qui

l'observait en silence. Sous ses dehors de don Juan, il dissimulait une intelligence acérée, elle n'en doutait plus. D'ailleurs, il était connu pour être un redoutable stratège. Elle avait appris autre chose sur lui en effectuant des recherches sur internet : Mikhail Kusnirovich ne se liait jamais avec aucune femme. Il se contentait d'aventures sans lendemain, avec des créatures somptueuses. Et compte tenu de son charme irrésistible, de son charisme fou et de sa fortune colossale, les candidates semblaient se bousculer pour obtenir ses faveurs…

Il ne devait pas douter qu'une fois seule avec lui sur son yacht elle succomberait. Mais il se trompait complètement. C'était ignorer qu'elle avait grandi avec une mère prête à tout pour attirer l'attention des hommes riches qui passaient à sa portée. Dès l'enfance, elle avait appris que les hommes promettaient la lune à la femme qu'il voulait faire venir dans leur lit. De temps en temps, Odette s'était laissée étourdir par de telles promesses, avant de retomber durement sur terre dès que son amant avait obtenu ce qu'il désirait d'elle.

Dégoûtée par cet exemple, Kat avait toujours eu du mal à faire confiance à un homme. Résultat : elle était encore vierge à son âge ! Steve n'était pas resté suffisamment longtemps pour qu'elle dépasse ses craintes avec lui…

— A quoi pensez-vous ? demanda soudain Mikhail.

Sa voix riche et profonde lui fit l'effet d'une caresse chaude et onctueuse.

— Si je devais accepter votre proposition, il me faudrait des garanties.

Mikhail resta un instant muet de stupeur. Il ne s'était certes pas attendu à une réponse aussi calme et raisonnable. Une fois de plus, Kat avait réussi à le surprendre !

— Quel genre de garanties ?

— Tout d'abord, celle que, quoi qu'il arrive sur votre yacht, je récupérerai Birkside à la fin de la période requise.

— Bien sûr, approuva Mikhail sans montrer son irritation.

Ainsi, elle avait décidé d'être odieuse, jusque dans le choix des termes qu'elle utilisait ? Bon sang, il lui offrait un mois sur son yacht luxueux, *The Hawk* — combien de femmes auraient été prêtes à tout pour ça ? —, et elle parlait de « période requise », comme s'il s'agissait d'un séjour en prison… Et, en plus, elle doutait de sa parole.

— Moi aussi je vous demanderai des garanties…

Elle écarquilla ses yeux verts.

— Lesquelles ? demanda-t-elle d'une voix mal assurée.

— Eh bien, j'exigerai que vous remplissiez votre rôle d'hôtesse et de compagne comme et quand je vous le demanderai, expliqua-t-il en retenant un sourire.

Il fit une pause avant d'ajouter :

— A vrai dire, je ne pensais pas que vous accepteriez aussi facilement…

— Je n'ai pas le choix ! s'exclama-t-elle en rougissant. Comment voulez-vous que je refuse une telle proposition ?

Kat avait envie de pleurer, ou de hurler, elle ne savait pas très bien. Elle qui avait élevé ses sœurs en leur répétant que, le plus important, c'était de respecter ses principes et de rester en accord avec sa conscience, même si ce devait être au détriment du profit matériel…

Et voilà qu'elle était prête à… Non, elle pouvait encore le battre à son propre jeu ! Elle ne devait pas l'oublier. Il ne récolterait que ce qu'il méritait pour l'avoir mise dans une position aussi intenable, elle s'en faisait la promesse.

Mikhail tenta de maîriser le trouble provoqué en lui par la candeur de Kat. Après tout, il stimulait ses employés en leur accordant des primes, et cela ne l'avait jamais gêné. Pourquoi en serait-il autrement avec Katherine

Marshall ? Et il ne l'achetait pas. Grands dieux, il n'avait même pas encore couché avec elle ! Réprimant le malaise qui s'insinuait en lui, il préféra songer aux moments qu'il allait savourer avec Kat. Il l'aurait pour lui tout seul… A cette perspective délectable, il sentit son corps se tendre de désir.

Lorsque Kat raconta à Emmie la véritable raison de son voyage à Londres, sa sœur la dévisagea avec de grands yeux. Visiblement, elle semblait considérer que son aînée avait définitivement fait une croix sur toute relation sentimentale. Et elle semblait se demander comment elle avait bien pu éveiller un tel intérêt chez un milliardaire russe renommé pour ses innombrables conquêtes féminines.

— Tu es sûr qu'il ne se moque pas de toi, Kat, demanda-t-elle enfin. Je comprendrais qu'il fasse une telle proposition à Saffy…

— Mais pas à une fille banale comme moi, c'est ça ? l'interrompit Kat avec un sourire forcé.

— Arrête ! protesta aussitôt sa sœur. Ce n'est pas du tout ce que je voulais dire ! Tu sais bien quel genre de milieux fréquente Saffy : elle doit rencontrer des dizaines de types de ce genre c'est tout.

Emmie s'interrompit un instant en fronçant les sourcils.

— D'ailleurs, notre super top model de sœur gagne elle-même très bien sa vie, mais j'imagine qu'elle est bien trop égoïste pour penser que sa propre famille pourrait avoir besoin de son aide. Elle préfère soutenir des causes plus médiatiques, comme celle des petits orphelins africains, par exemple.

— Je suis sûre que Saffy m'aurait aidée si je le lui avais demandé, protesta Kat. Mais j'ai estimé que cela ne relevait pas de sa responsabilité.

Surtout, elle aurait trouvé indélicat de demander de

l'aide à Saffy pour rembourser les dettes laissées par l'opération d'Emmie. Emmie se serait sentie affreusement coupable, et sa sœur aurait pu éprouver du ressentiment — ce qui n'aurait pas arrangé les relations compliquées entre les jumelles.

— Alors, ce type est vraiment prêt à tout, rien que pour t'avoir sur son yacht ? reprit Emmie, l'air toujours aussi incrédule. Dis-moi, cela ne t'effraie pas ?

Kat hésita. Impossible de révéler à sa sœur qu'en fait cela faisait un bien fou à son ego. Aucun homme n'avait jamais manifesté un tel désir envers elle, même pas Steve.

— Cela me surprend, reconnut-elle. Je crois que la vraie raison de son attitude, c'est qu'il n'a pas l'habitude qu'une femme se refuse à lui.

— Et tu penses qu'il acceptera longtemps que tu lui dises non ? répliqua Emmie d'un air inquiet. Une fois que tu te retrouveras coincée sur son yacht avec lui, tu crois vraiment que tu réussiras à le tenir à distance ?

Un frisson naquit au creux des reins de Kat tandis qu'elle se rappelait la sensation des lèvres de Mikhail sur les siennes et la douceur de ses cheveux noirs sous ses doigts. Oui, elle le tiendrait à distance du moment qu'il ne la touchait pas… Lorsqu'il l'avait embrassée, il l'avait prise par surprise. S'il tentait de nouveau de la toucher, elle serait mieux préparée et plus capable de gérer les émotions qui l'avaient submergée trois semaines plus tôt.

— Oui, je crois que j'y arriverai. Et puis, il est trop fier pour exercer une pression quelconque sur une femme qui ne voudrait pas de lui.

— Mais il est néanmoins prêt à payer un prix exorbitant pour profiter simplement de ta compagnie ?

— Il ne s'agit que d'une sorte de job, en fait… Un caprice stupide et macho.

— D'accord, mais est-ce que tu es consciente que, si tu couches avec lui, ce job ressemblera beaucoup à de la prostitution ?

Kat se sentit pâlir.

— Je ne coucherai pas avec lui : j'ai été très claire là-dessus…

— Certains hommes considéreraient ton attitude comme un défi, Kat, répliqua Emmie en souriant.

— Si Mikhail y voit un défi, c'est son problème, pas le mien, affirma Kat. Et franchement, qu'est-ce que cela représente, un mois de ma vie si, à la fin, nous récupérons notre maison ?

— Je suis d'accord avec toi, admit Emmie.

Mais elle demeurait inquiète, comprit Kat en la voyant froncer les sourcils.

— Tu seras là pour t'occuper de Topsy quand elle reviendra à la maison pour les vacances de Pâques ? demanda-t-elle.

— Bien sûr, répondit Emmie. Où veux-tu que j'aille…

Au cours de la semaine suivante, Kat fut convoquée par l'avocat de Mikhail. Une fois installée dans son bureau, elle dut supporter la lecture d'un document interminable qu'il lui présenta comme son contrat d'embauche.

Celui-ci stipulait tout d'abord, dans les moindres détails, les conditions de Mikhail : tenue vestimentaire et coiffure impeccables, politesse et disponibilité illimitées envers lui et ses hôtes, ainsi que dans ses rapports personnels avec lui, ponctualité irréprochable, consommation modérée d'alcool et abstention totale de celle de toute drogue…

Au terme d'un mois civil durant lequel ces conditions auraient été respectées, Birkside lui serait cédé légalement.

L'allusion à l'apparence physique la mortifia. Mais à vrai dire, elle ne s'était pas occupée de son look depuis une éternité. Et lorsque l'assistante de Mikhail l'appela pour l'informer qu'elle avait rendez-vous dans un institut de beauté londonien, le jour même où elle entrerait dans ses nouvelles fonctions, Kat n'émit aucune objection.

Cela faisait partie du job, après tout. En outre, Mikhail

savait très bien qu'elle ne possédait aucune tenue susceptible de convenir à un séjour sur un yacht de luxe, aussi la question vestimentaire serait-elle sans doute réglée dès son arrivée à Londres.

Pourtant, une pointe d'angoisse ne la quittait pas. Que se passerait-il lorsque Mikhail se rendrait compte qu'elle n'était en réalité qu'une femme ordinaire ? Lorsque le mirage de la créature ravissante qu'il voyait en elle se serait évanoui, la renverrait-il avant le terme du contrat ? A vrai dire, elle avait du mal à imaginer qu'il supporte sa présence un mois entier sur son yacht de rêve.

Il se lasserait vite d'elle, et lui rendrait sa liberté.

Le jour où Kat devait arriver à Londres, Mikhail remarqua qu'il était particulièrement de bonne humeur. Ce qui ne lui ressemblait pas et l'empêchait de se concentrer sur ses affaires. Son esprit persistait à vagabonder sur des chemins de traverse tandis qu'il se demandait laquelle des tenues, choisies par lui-même, Kat revêtirait pour dîner avec lui ce soir-là.

Seul le souvenir qu'il l'avait quasiment payée pour profiter de sa compagnie obscurcissait son humeur. Bon sang, il avait dû se servir de cette bicoque perdue au milieu de nulle part comme appât…

Mais viendrait le moment où Kat tenterait de s'accrocher à lui, comme toutes les autres, et alors, il la repousserait, las de ses charmes. Car le jour de l'indifférence arriverait, comme toujours. Rapidement, il se rendrait compte qu'elle n'avait rien de spécial ni d'unique, et qu'elle n'était pas différente des femmes qui avaient partagé son lit avant elle.

Dès cet instant, son désir pour Kat s'évanouirait de lui-même, et tout rentrerait dans l'ordre. Alors que pour l'instant, la simple évocation de son corps superbe suffisait à l'embraser.

*
* *

Kat découvrit avec surprise qu'elle prenait plaisir à la séance de mise en beauté, organisée spécialement pour elle dans le luxueux établissement. Toutefois, elle fut un peu déroutée par certaines des options concernant l'épilation qui lui furent proposées… Mais après avoir surmonté son embarras, elle admira le nouveau dessin de ses sourcils et le beau rose pastel de ses ongles parfaitement manucurés. Et lorsqu'elle vit ses cheveux briller de reflets chatoyants dans le miroir, elle félicita en souriant le coiffeur qui s'était occupé d'elle.

La limousine venue la chercher à la gare l'attendait devant l'institut et la conduisit dans l'un des quartiers les plus chic de Londres, avant de la déposer devant un hôtel somptueux. Après y avoir été accueillie avec déférence, elle fut emmenée directement dans une suite immense au décor de rêve.

Dans le vaste dressing attenant à la chambre, elle découvrit une garde-robe époustouflante. Sidérée, elle contempla les toilettes alignées sur le rail avant de surprendre son reflet dans le haut miroir. Elle recula d'un pas : la maquilleuse y était allée un peu fort…

Eh bien, si ce nouveau personnage qu'elle devait incarner était plus intéressant que son moi ordinaire, autant jouer le jeu jusqu'au bout… Après avoir examiné les différentes toilettes, toutes aussi raffinées les unes que les autres, Kat choisit une robe de dentelle de soie noire, puis des escarpins aux célèbres semelles rouges et aux talons d'une hauteur redoutable. Elle venait de les enfiler lorsque le téléphone sonna dans la chambre.

— Je vous attends dans le hall, dit la voix impatiente de Mikhail. Vous n'avez pas reçu mon message ?

— Non… Désolée ! murmura Kat en sentant la panique l'envahir.

Après avoir glissé le strict nécessaire dans un minuscule sac de satin moiré noir, elle se dirigea vers la porte aussi vite que le permettaient ses talons.

Kat repensa à la clause de ponctualité du contrat : Mikhail n'aimait pas attendre. Et cette fois, le show allait vraiment commencer, songea-t-elle en s'efforçant de refouler le trac qui menaçait de la submerger.

5.

Lorsqu'il vit Kat sortir de l'ascenseur, Mikhail se sentit en proie à un mélange d'impressions contradictoires. Kat était superbe, mais il y avait dans son allure quelque chose qui n'allait pas. Son maquillage, comprit-il en s'avançant vers elle. Bon sang, pourquoi avoir opté pour ce style ultraglamour, au lieu de mettre sa beauté naturelle et ses magnifiques yeux verts en valeur ? C'était cela qui l'attirait chez elle, pas ce regard charbonneux de femme vampire !

Le cœur battant la chamade et la bouche sèche, Kat regarda Mikhail s'approcher. Il se déplaçait avec la grâce et la détermination d'un félin, songea-t-elle en sentant un frisson délicieux la parcourir de la tête aux pieds.

— La voiture nous attend, dit-il.

Surgissant de nulle part, quatre hommes les entourèrent aussitôt. L'un d'eux ouvrit la porte donnant sur la rue puis vérifia les abords de l'hôtel avant de s'avancer vers une limousine noire aux vitres fumées. Après avoir jeté un dernier regard à droite et à gauche, il en ouvrit la portière.

— Ce sont vos agents de sécurité ? demanda Kat en s'installant sur la confortable banquette en cuir gris souris.

Ce véhicule était encore plus somptueux que celui qui l'avait transportée tout l'après-midi.

— Oui, répondit Mikhail. Pourquoi avoir choisi ce maquillage ? demanda-t-il de but en blanc.

Décontenancée, Kat resta silencieuse un instant.

— Je ne l'ai pas choisi, dit-elle enfin. C'est la maquilleuse de l'institut qui…

— Pourquoi l'avez-vous laissée faire ?

— J'ignorais que j'avais le choix, répondit Kat en plissant le front. J'ai pensé que c'était le maquillage type que vous appréciez chez vos compagnes.

Un sourire dur se forma sur sa bouche virile.

— Vous n'avez pas à vous conformer à un stupide stéréotype supposé me plaire. Je n'ai jamais donné aucune instruction en ce sens. Je respecte l'individualité et je compte sur vous pour faire vos propres choix dans ce genre de domaine. Je vous trouve parfaite telle que vous êtes naturellement.

— Très bien, acquiesça Kat avec un léger sourire.

Au fond, elle trouvait l'attitude de Mikhail… rafraîchissante.

— Je me débarrasserai de mes faux cils dès que j'en aurai la possibilité, dit-elle. J'ai l'impression de porter des ailes de chauve-souris sur les paupières…

A sa grande surprise, il éclata de rire. Assis à l'autre extrémité de la banquette, il se tourna vers elle, les yeux brillants — et pas seulement d'amusement, comprit Kat en tressaillant.

Mikhail promena son regard sur Kat. Ses petits seins ronds couverts de dentelle noire, sa taille fine, ses genoux gracieux, tout en elle appelait au plaisir…

— Parlez-moi de vous, dit-il d'une voix rauque. Dites-moi pourquoi vous avez pris la responsabilité d'élever vos sœurs.

Kat tressaillit et le fusilla du regard. Comme si cette intrusion dans sa vie privée l'irritait. Mais puisqu'il avait fait faire une enquête sur elle, elle devait bien se douter qu'il connaissait sa situation familiale, non ?

— Je ne pense pas que cela vous intéresse vraiment.

— Si cela ne m'intéressait pas, je ne vous aurais pas posé la question.

— Eh bien, c'est très simple, répondit-elle sans prendre la peine de dissimuler son agacement. Ma mère ne pouvant plus assumer leur charge, elle a placé mes sœurs en famille d'accueil. Quand je suis allée les voir, je les ai trouvées si malheureuses que j'ai décidé de les prendre chez moi.

— C'était une décision très généreuse pour une jeune femme : vous avez sacrifié votre liberté…

— La liberté n'est pas toujours aussi précieuse qu'on le pense, l'interrompit-elle. La famille compte beaucoup pour moi. D'autre part, comme je n'avais moi-même jamais bénéficié d'un environnement stable lorsque j'étais enfant, je ne voulais pas que mes sœurs vivent la même chose.

Les paupières mi-closes, il l'observa sans dire un mot.

— Pourquoi cherchez-vous toujours à vous opposer à moi ? demanda-t-il enfin.

— Vous voulez que je vous réponde franchement ?

— *Da*…

En réalité, Mikhail s'en fichait éperdument — du moins, dans l'immédiat. Seule la vision qui avait surgi dans son esprit lui importait pour l'instant : celle de ce corps ravissant orné de perles, et de rien d'autre. Non, pas des perles, des rubis, ou des émeraudes, qui feraient ressortir encore davantage son teint de lis et la couleur de ses yeux.

— Vous êtes si sûr de vous, si arrogant, que vous m'agacez, avoua-t-elle avec une moue adorable.

Mikhail dut faire un effort surhumain pour ne pas goûter à ces lèvres pleines. Pour la première fois de sa vie, il hésitait sur la conduite à adopter face à la femme qu'il désirait.

— Je ne comprends pas pourquoi cela vous irrite, reprit-il avec calme. Je ne fais que me comporter comme un homme. Préféreriez-vous les mauviettes ? Dans ce cas, je crains de vous décevoir.

Une lueur amusée pétillait au fond des yeux de jais de Mikhail, remarqua Kat en se raidissant. Comme elle allait avoir du mal à lui résister… Mais son rôle consistait à lui tenir compagnie. Rien de plus.

— Vous rendez-vous compte que vous allez vite vous ennuyer avec moi ? demanda-t-elle.

— Comment pourrais-je m'ennuyer alors que vous ne ressemblez à aucune femme que j'aie connue avant vous ? répliqua-t-il d'une voix suave. Je ne sais jamais quels propos étranges vont jaillir de votre belle bouche, *milaya moya*.

Ne trouvant rien à répliquer à ces paroles déconcertantes, Kat resta silencieuse jusqu'à ce que la limousine s'arrête dans une petite rue calme. Dès qu'elle posa le pied sur le trottoir, Mikhail lui tendit la main pour l'aider à sortir de la voiture, puis il ferma la main sur ses reins d'un geste possessif.

Troublée par cette proximité et par les effluves musqués qui émanaient de lui, sans parler des sensations déstabilisantes provoquées par les doigts posés sur ses reins, Kat dut faire un effort pour ne pas s'écarter.

Si elle avait cédé à une telle impulsion, Mikhail y aurait vu une insulte, elle le savait. Elle devrait donc apprendre à se détendre et à se montrer plus tolérante. Après tout, elle n'était plus une gamine, ni une adolescente. A trente-cinq ans, elle pouvait bien garder son *self-control* et ne pas fuir à toutes jambes dès que cet homme superbe la frôlait.

Sans échanger un mot, ils pénétrèrent dans un restaurant à l'éclairage tamisé. Aussitôt, le propriétaire vint les accueillir en personne et s'inclina profondément devant eux comme s'ils faisaient partie de la famille royale. Par ailleurs, des murmures avaient parcouru la salle et les clients déjà attablés tournaient la tête dans leur direction.

Mikhail échangea quelques mots avec le propriétaire qui les conduisit vers une table installée un peu à l'écart, avant de les laisser aux soins du maître d'hôtel.

Lorsque Kat prit le menu et vit la langue dans laquelle il était rédigé, elle leva les yeux vers Mikhail.

— C'est un restaurant russe ?

— Oui. Je viens souvent dîner ici.

Quelques instants plus tard, comme il étudiait son menu sans se préoccuper d'elle, elle ne put s'empêcher de lui faire remarquer que les noms des plats n'étant ni traduits ni accompagnés de description en anglais, elle n'y comprenait rien.

— Je choisirai à votre place, répliqua-t-il sans s'émouvoir.

Ainsi, il ne se donnerait même pas la peine de lui traduire le nom des plats ! Kat serra les dents en se demandant comment elle tiendrait un mois entier sans céder à la tentation, au moins une fois, de le gifler. Mikhail évoluait dans sa bulle, uniquement préoccupé de lui-même, sans se soucier des désirs des autres. Comment se comporterait-il au lit ? s'interrogea soudain Kat. Honteuse de s'être laissée aller à une telle pensée, elle baissa vivement la tête. De toute façon, vu qu'elle n'avait pas l'intention de partager son lit, elle ne connaîtrait jamais la réponse à cette question déplacée.

— Qu'est-ce qui ne va pas ? demanda Mikhail.

— Rien… répondit-elle avec un sourire forcé.

Le serveur s'approcha de la table, et Mikhail commanda leurs deux repas sans même l'informer de ce qu'il avait choisi pour elle. Elle avait accepté ce job pour récupérer Birkside, se répéta-t-elle. Par conséquent, elle était prête à tout supporter. Ou presque.

Mikhail fit signe à Stas qui vint le rejoindre et écouta ses instructions d'un air surpris. Puis il s'éloigna après avoir hoché la tête en silence.

Evidemment, Mikhail s'était exprimé en russe, et elle n'avait rien compris ! Comment pouvait-il se montrer aussi mal élevé ? C'était profondément irritant !

Le premier plat arriva : du caviar, servi avec des tranches de pain chaud beurrées. Kat n'aimait pas le poisson, elle avait même du mal à en supporter la plus légère odeur. Mais Mikhail ne sembla pas remarquer qu'elle y touchait à peine, ni qu'elle ne goûtait pas à la soupe de poisson qui suivit.

Stas réapparut alors, avec un sac en papier à la main qu'il lui tendit.

— Vous pouvez aller vous démaquiller, dit Mikhail tandis qu'elle examinait le contenu du sac.

Des lingettes… Ainsi, il voulait qu'elle se démaquille maintenant, au restaurant…

Après tout, pourquoi pas ? Kat se leva de table et se dirigea vers les toilettes où elle ôta délicatement les faux cils avant d'essuyer l'ombre presque noire qui couvrait ses paupières. Evidemment, une fois l'opération nettoyage terminée, elle se retrouva avec les yeux rouges et gonflés…

Après s'être passé un peu d'eau tiède sur les paupières, elle tenta tant bien que mal de réparer les dégâts à l'aide du vieux poudrier qui ne quittait jamais son sac.

Quand elle revint à leur table, Mikhail la regarda d'un air satisfait.

— C'est beaucoup mieux, *milaya moya*. Je vous retrouve enfin !

Heureusement, un énorme steak fut alors servi à Kat comme plat principal, et elle le dévora avec appétit, tout en s'efforçant de manger avec raffinement, comme Mikhail l'attendait sans doute d'elle. Après le dessert, une sorte de gâteau au fromage blanc au miel, elle dut avaler la vodka spéciale — russe, évidemment — dont Mikhail vantait le goût unique. Cet alcool était si fort que le café parut presque insipide en comparaison.

Lorsqu'ils eurent reposé leurs tasses vides, Mikhail lui proposa d'aller dans un club. Après la journée qu'elle venait de vivre, Kat préférait largement rentrer à l'hôtel. A sa grande surprise, Mikhail ne s'en formalisa pas et ils se levèrent de table.

Quelques instants plus tard, au moment où ils sortaient du restaurant, une silhouette se dressa brusquement devant Kat. Surprise et effrayée, elle poussa un cri tandis que Mikhail bondissait pour la protéger. En même temps, ses agents surgirent de l'ombre et trois d'entre eux entourèrent Kat qui se retrouva à l'intérieur de la limousine sans avoir le temps de comprendre ce qu'il se passait.

Le souffle court, le cœur battant jusque dans ses oreilles, elle vit Mikhail tenir un homme blême par le col. Les sourcils froncés et l'air furieux, il échangea quelques mots brefs avec Stas, tout en secouant le pauvre type avant de le lâcher comme un torchon sale et de se diriger vers la limousine à grands pas.

— Vous allez bien ? demanda-t-il d'une voix gutturale en s'installant sur la banquette à côté de Kat.

— Oui, j'ai eu peur, c'est tout, murmura-t-elle.

— J'ai vu quelque chose briller dans sa main : j'ai cru que c'était un couteau, expliqua Mikhail d'un air sombre. Mais ce n'était qu'un appareil photo. Ces maudits paparazzi sont prêts à tout !

Décontenancée, Kat dévisagea Mikhail. Croyant avoir affaire à un homme armé d'un couteau, il n'avait pas hésité à s'exposer pour faire écran entre son agresseur et elle…

— Vos agents n'auraient-ils pas dû se charger de lui ?

— Leur rôle consiste à veiller sur moi, pas sur ceux qui m'accompagnent. C'était mon devoir de vous protéger, *milaya moya*.

— Eh bien… merci, chuchota-t-elle.

— Vous n'étiez pas en danger, rappela-t-il en levant la main d'un geste désinvolte. Ce n'était qu'un appareil photo.

Mais il ne l'avait pas su lorsqu'il s'était interposé d'instinct entre elle et l'inconnu… Se pouvait-il qu'elle l'ait jugé trop vite ? Que ce milliardaire russe ne soit pas aussi égoïste et arrogant qu'elle l'avait pensé ? Sous ses dehors impitoyables se cachaient peut-être d'autres aspects d'une personnalité plus complexe…

Lorsqu'ils arrivèrent à l'hôtel, Mikhail s'engouffra avec elle dans l'ascenseur. Les yeux brillants, il la regardait sans mot dire, le dos appuyé à la paroi rutilante de la cabine qui gravissait sans bruit les étages. Mal à l'aise, Kat chercha un sujet de conversation pour meubler le silence.

— Quel est votre signe du zodiaque ? lança-t-elle bêtement.

Mikhail la contempla d'un air perplexe. Mon Dieu, il devait la prendre pour une cinglée…

— Moi, je suis Lion, reprit-elle à la hâte. Et c'était juste une façon détournée de vous demander votre date de naissance.

Où voulait-elle en venir ? se demanda Mikhail en l'observant avec stupeur.

— Je suis né il y a trente ans : cela vous suffit, ou vous voulez plus de détails ? dit-il en plissant le front.

A ces mots, elle lui jeta un regard horrifié.

— Pardon ? balbutia-t-elle. Vous voulez dire que vous… Vous n'avez que trente ans ?

A bout de patience, Mikhail leva les yeux au ciel.

— Oui ! Et je ne vois pas où est le problème !

Le dos affreusement raide, Kat sortit de l'ascenseur comme un automate et se dirigea vers sa suite. Après avoir glissé sa clé magnétique dans le système de verrouillage, elle entra dans le salon et alluma plusieurs lampes d'un geste machinal.

— Qu'est-ce qui ne va pas, Kat ? demanda Mikhail en la suivant.

Elle se retourna et le foudroya du regard.

— Vous êtes plus jeune que moi… ! Beaucoup plus jeune ! s'exclama-t-elle d'une voix blessée et furieuse à la fois. Je m'en veux de ne pas m'en être rendu compte — de n'avoir même pas songé à cette éventualité !

— Vous avez quelques années de plus que moi, et alors ? Je ne vois toujours pas où est le problème…

— Moi, si ! riposta-t-elle avec emportement. Et il est insurmontable !

Les femmes étaient décidément des êtres étranges, songea Mikhail en l'observant. Et Kat dépassait largement la moyenne ! Leur différence d'âge était si infime qu'il ne voyait même pas l'intérêt d'en parler. Mais, à en juger par la consternation qui emplissait ses beaux yeux verts, elle était loin de partager son avis.

A moins que ce ne soit qu'un nouveau prétexte pour le tenir à distance. Bon sang, aucune femme ne lui avait jamais opposé une telle résistance.

— Ce n'est pas un problème pour moi, trancha-t-il d'un ton péremptoire. La discussion est close.

Scandalisée, Kat le regarda en silence. En fait, leur différence d'âge renforçait sa conviction qu'elle n'aurait jamais dû accepter cet arrangement douteux.

— C'est regrettable et… de mauvais goût… que vous soyez plus jeune que moi, dit-elle. J'ai lu des articles sur ces femmes… ces couguars qui fréquentent des hommes plus jeunes. Eh bien, je regrette, Mikhail, mais je n'ai jamais été attirée par les… les gigolos…

Kat regretta aussitôt ses paroles en voyant une véritable fureur envahir les traits de Mikhail.

— Vous me traitez de gigolo ? Retirez ce… ce terme, ordonna-t-il d'une voix dure. C'est une insulte qu'aucun homme ne saurait tolérer !

— Vous êtes beaucoup plus jeune que moi, répliqua-t-elle en redressant le menton.

— Retirez ce que vous avez dit, répéta-t-il avec la même dureté. Je ne tolérerai pas une telle insulte.

— Très bien, marmonna Kat en sentant ses genoux se dérober. Je ne voulais pas vous insulter.

— Je n'ai jamais été — et ne serai jamais — le gigolo d'une femme.

Soudain épuisée par toutes les émotions de la journée, Kat se laissa tomber sur le sofa.

— Eh bien, tant mieux, soupira-t-elle. Parce que je ne me vois pas en couguar…

— Pourquoi ? demanda Mikhail en l'observant avec attention.

Elle semblait à bout de forces. Et sur ce sofa tapissé de velours vert tendre, elle ressemblait à une fleur sur le point de se refermer à la fin du jour, songea-t-il. Tout à coup, il s'en voulut d'avoir perdu patience. Il l'avait effrayée.

— Pourquoi ? répéta-t-il.

— Les couguars sont des femmes expérimentées… Pas moi, reconnut-elle d'une voix tremblante.

— Je ne comprends pas…

Kat laissa échapper un rire amer.

— Je suis encore vierge, dit-elle avec une pointe de regret dans la voix. Vous ne trouvez pas cela ridicule ?

6.

Le jour suivant, confortablement installée dans le somptueux jet privé de Mikhail qui devait les conduire à Chypre, Kat feignait d'être absorbée dans la lecture d'un magazine.

Depuis qu'ils étaient montés à bord, en milieu de matinée, Mikhail n'avait pas réclamé sa compagnie et était resté concentré sur son travail. Quand il ne parlait pas au téléphone, il fixait l'écran de son ordinateur portable ou lançait des instructions brèves à l'assistant qui l'accompagnait.

A vrai dire, elle était plutôt soulagée de ne pas avoir à lui parler. Comment avait-elle pu être assez stupide pour se confier de la sorte à cet homme qu'elle connaissait à peine ? Et surtout, qu'est-ce qu'il lui avait pris d'avouer à ce séducteur invétéré qu'elle était vierge ? D'abord, cela ne le regardait pas — et puis, pourquoi révéler ce détail à un homme avec lequel elle était résolue à ne partager aucune intimité ?

Et que dire de l'expression atterrée qui avait envahi les traits de Mikhail lorsqu'elle avait fait cet aveu stupide… Consternée et terriblement honteuse, elle n'avait rien trouvé de mieux à faire que de prendre la fuite en marmonnant un vague « bonne nuit » avant de se réfugier dans sa chambre.

*
* *

« Vierge »… Mikhail ne cessait de se répéter ce mot en boucle. Cela expliquait tant de choses… A présent, il comprenait certaines des réactions de Kat qui lui avaient semblé irrationnelles. Pas étonnant qu'elle soit aussi nerveuse, ni qu'elle ait réagi de façon aussi violente après leur baiser. Et pas étonnant non plus qu'elle ait ressenti le besoin de répéter avec force qu'elle ne coucherait pas avec lui !

Comment une femme aussi belle, aussi sensuelle, dotée d'un esprit aussi vif et d'une énergie aussi vibrante, avait-elle pu réprimer ses besoins charnels aussi longtemps ?

En fait, elle n'avait pas cherché à se jouer de lui, comme il l'avait cru, non, elle voulait simplement se protéger. Bon sang, cela aurait dû suffire à lui faire abandonner la partie. Cette femme n'était pas pour lui ! Alors pourquoi la désirait-il encore davantage depuis qu'elle lui avait fait cet aveu ? Parce qu'elle n'avait connu aucun homme ? A cause de la nouveauté de la situation ?

Il jeta un coup d'œil à la dérobée en direction de Kat. Un magazine entre les mains, elle semblait plongée dans sa lecture. Jamais il n'avait vu un profil d'une telle pureté. Et quel contraste entre la sagesse de ses traits et la rivière exubérante de boucles auburn qui cascadait sur ses épaules. Quand il laissa descendre son regard sur les longues jambes minces croisées, le désir latent qui ne le quittait plus s'embrasa.

Kat adressa un regard en biais à Mikhail. Il venait de refermer son ordinateur portable et de renvoyer son assistant. Les yeux mi-clos, il se laissa aller contre le repose-tête de son siège.

Il semblait préoccupé. A cause d'elle ? Non impossible ! Elle devait cesser de divaguer. De toute façon, elle ne voulait pas qu'il se soucie d'elle — ni même qu'il s'intéresse à elle. Alors pourquoi la simple pensée qu'il puisse la trouver belle, faisait-elle naître une telle joie en elle ? Une joie teintée de panique. Car, une fois de plus, elle ne pouvait que constater que ses propres réactions échappaient à tout contrôle en présence de Mikhail…

— Voulez-vous boire quelque chose ? demanda-t-il soudain en soulevant les paupières.

— Oui, un verre d'eau, merci.

Incapable de soutenir son regard étincelant, elle baissa les yeux sur son magazine.

Mikhail commanda au steward un verre d'eau et une vodka. Sans un mot, il lui tendit son verre. Les doigts tremblants, elle tenta de maîtriser le frisson qui l'avait parcourue au moment où leurs mains s'étaient touchées. Seigneur, il fallait vraiment qu'elle apprenne à être dans la même pièce que lui sans laisser ses émotions la submerger ! Décider à reprendre le dessus, elle releva les yeux vers lui. Une lueur de victoire brillait dans le regard de Mikhail, comme s'il se réjouissait de l'effet qu'il avait sur elle…

Avant qu'elle n'ait eu le temps de réagir, il se pencha vers elle, lui ôta le verre des doigts et le posa sur la table. Puis, il prit sa main et l'attira vers lui.

Incapable de résister à la détermination farouche qu'elle lisait dans son regard, elle se laissa faire et demanda dans un souffle :

— Qu'y a-t-il ?

— Je vais t'embrasser, *milaya moya*, murmura Mikhail.

Déconcertée, elle battit des paupières en essayant d'endiguer le flot brûlant qui se répandait en elle.

— Mais…

— Je n'ai pas besoin de permission pour t'embrasser, répliqua-t-il avec un sourire dévastateur. Seulement pour t'emmener au lit. Ce qui nous laisse une marge considérable.

Kat sentit une profonde panique l'envahir. Comme elle avait été naïve de penser que, après avoir accepté son refus de partager son lit, Mikhail ne la toucherait pas ! En effet, pourquoi aurait-il perdu son temps et son énergie en préliminaires qui n'aboutiraient à rien ? Pas un seul instant elle n'avait envisagé qu'il puisse détourner les règles à son profit d'une façon aussi perverse…

— Mais, je ne veux pas…, dit-elle d'une voix rauque.

— Laisse-moi te montrer ce que tu veux, répliqua-t-il en l'enlaçant.

Dès qu'il la pressa contre son corps puissant, Kat sentit des étincelles délicieuses courir sur sa peau. Et quand Mikhail glissa les mains dans ses cheveux et rapprocha son visage du sien, elle eut l'impression que son cœur allait s'arrêter de battre.

Il prit sa bouche avec fougue. Sans lui laisser le temps de reprendre ses esprits, il glissa sa langue dans sa bouche et entama un ballet torride et sensuel. Kat eut aussitôt l'impression que du feu liquide se répandait en elle, provoquant un véritable incendie dans les moindres cellules de son corps.

Ce baiser était purement sexuel, elle ne devait pas l'oublier, lui répétait la partie consciente de son esprit. Mais, bientôt, elle oublia toute pensée cohérente. Ses seins se gonflaient spontanément, et ses mamelons durcissaient contre le torse de Mikhail. Elle brûlait… Un long tremblement naquit au plus profond d'elle-même, avant de se propager dans son ventre, puis dans son corps tout entier.

Et lorsqu'elle sentit la main chaude de Mikhail se refermer sur ses fesses pour la presser encore davantage contre lui, elle laissa échapper un gémissement. L'érection puissante de Mikhail frémissait contre son ventre, promesse de tout le plaisir qu'il était prêt à lui donner…

Soudain, Mikhail écarta son visage du sien, et la dévisagea de son regard étincelant.

— Tu vois, murmura-t-il. Il n'y a pas de quoi avoir peur.

Le souffle irrégulier, Kat se dégagea de son étreinte. Il devait plaisanter… Cet homme était un prédateur, il jouait avec elle comme un chat avec une souris, sûr de son pouvoir. Et s'il se le permettait, c'était parce qu'elle avait commis une erreur colossale. Révéler son innocence à un mâle dominateur tel que Mikhail, c'était comme se livrer pieds et poings liés à l'ennemi.

Bien sûr, il l'attirait, mais elle n'était pas pour autant prête à vivre cette attirance. Tremblante de rage et d'émotion, Kat se réfugia dans son fauteuil sans accorder un regard à son compagnon de voyage. Il n'hésiterait pas à se servir de sa faiblesse, mais elle était plus forte qu'il ne le croyait. Les mâchoires serrées, elle retint les mots qui lui venaient aux lèvres. Si elle avouait à cet homme arrogant ce qu'elle pensait vraiment de son comportement, elle ne ferait que lui montrer à quel point son baiser l'avait ébranlée… Et ça, elle ne pouvait pas se le permettre !

Après s'être rassis à son tour, Mikhail savoura sa vodka sans se soucier du silence furieux de sa compagne. Kat était une femme farouchement indépendante, fière, et trop habituée à n'en faire qu'à sa tête. Il n'allait pas reculer comme un petit garçon craignant qu'on lui tape sur les doigts. Il ne s'était jamais laissé intimider par une femme — et il était grand temps qu'il redevienne lui-même.

Une fois que le jet eut atterri à Chypre, ils en descendirent avant d'embarquer dans un hélicoptère qui les attendait un peu plus loin sur le tarmac.

A bord, le bruit des pales empêchait toute conversation, ce qui convenait parfaitement à Kat. Et lorsque l'appareil atterrit à la poupe d'un énorme yacht blanc, elle ne chercha pas à dissimuler son émerveillement.

The Hawk — Le Faucon — était bien plus grand, bien plus impressionnant qu'elle ne l'avait imaginé — et beaucoup plus racé. Bordés d'un bastingage en métal rutilant, ses trois ponts étincelaient sous le soleil méditerranéen. Et un autre hélicoptère se trouvait déjà sur l'aire d'atterrissage.

— Je ne m'attendais pas à un navire de cette taille ! avoua-t-elle en se laissant entraîner par Mikhail.

Il semblait avoir déjà pris l'habitude de poser une main possessive sur ses reins, constata Kat avec un frisson. Comme si elle lui appartenait…

Un sourire éblouissant aux lèvres, il lui donna toutes sortes de détails techniques sur son yacht, qu'elle écouta d'une oreille distraite en affichant un intérêt qu'elle était loin d'éprouver.

Lorsqu'ils s'avancèrent sur le pont principal, un homme habillé tout en blanc et portant une casquette de capitaine vint saluer Mikhail qui fit les présentations. Rapidement, ils semblèrent oublier sa présence et se mirent à discuter en russe. Kat en profita pour s'éloigner de quelques pas. Appuyée au bastingage, elle offrit son visage à la caresse de la brise. Elle regarda la proue fendre gracieusement les eaux turquoise de la Méditerranée. Au-dessus d'eux, le ciel était d'un bleu pur et uniforme. Le soleil inondait la mer de ses rayons dorés et réchauffait la peau de Kat, habituée aux températures plus fraîches du nord de l'Angleterre. C'était fantastique !

Une jeune hôtesse vint la rejoindre et se présenta. Elle serait à son service durant toute la croisière expliqua Marta. Et si Kat désirait aller se reposer, elle serait ravie de la conduire à sa cabine.

Laissant Mikhail discuter avec son capitaine, Kat suivit Marta le long d'un incroyable escalier en colimaçon tout de verre. Dès que la nuit tombait, il s'illuminait et changeait de couleur… lui expliqua la jeune femme. Comment pouvait-on même penser à s'offrir un tel gadget ? Sidérée, Kat garda ses impressions pour elle. Mais quand elle découvrit le luxe et le raffinement de la suite qui lui était réservée, elle resta muette d'admiration.

Dans la chambre spacieuse, un grand lit était installé sur une estrade laquée couleur ivoire, au milieu d'un décor digne d'un conte de fées moderne. La salle de bains adjacente, construite dans un mélange de marbres dont les teintes allaient de l'ivoire au brun en passant par toutes sortes de nuances d'ocre, était à couper le souffle. Quant au dressing, il était bien évidemment immense…

Un steward apporta ses bagages, et Marta entreprit de les ouvrir.

— Quand arriveront les autres invités ? demanda Kat.

— Dans environ une heure, mademoiselle Marshall.

Ainsi, elle ne demeurerait pas longtemps seule avec Mikhail ! Soulagée, Kat entreprit de se changer pour être à la hauteur de ses nouvelles fonctions. Après avoir choisi une robe droite couleur caramel, à la fois sobre et chic, elle prit une douche rapide puis revint s'habiller dans sa chambre.

Elle avait à peine fini de se préparer qu'une porte située au fond de la pièce s'ouvrit comme par magie… sur Mikhail.

— Parfait, dit-il d'un ton approbateur en examinant lentement sa silhouette du regard.

Par la porte ouverte, Kat aperçut une autre chambre, à peu près identique à la sienne. Un peu plus masculine, peut-être.

— Nos deux chambres communiquent ? demanda-t-elle sans dissimuler sa désapprobation.

Un sourire amusé se forma sur les lèvres sensuelles de Mikhail tandis qu'il haussait un sourcil moqueur.

— Aurais-tu voulu que je fasse murer cette porte pour toi ?

Kat se força à desserrer les mâchoires.

— Non, bien sûr. Mais je te préviens : elle restera verrouillée de mon côté.

— Je possède les doubles de toutes les clés du yacht, mais ne t'inquiète pas : j'ai autant besoin d'espace privé que toi, répliqua-t-il sans cesser de sourire.

Il baissa les yeux vers sa poitrine et esquissa un sourire satisfait.

— Je ne m'étais pas trompé : cette teinte te va à merveille.

— C'est toi qui as choisi mes vêtements ?

— Oui, *milaya moya*. Qu'y a-t-il d'étrange à cela ?

Evidemment, il avait l'habitude de tout contrôler… Autant s'y habituer pour le mois qu'elle allait passer à bord. Même si cette attitude dominatrice l'agaçait prodigieusement. Et puis il y avait quelque chose de très intime dans le fait qu'il ait choisi lui-même ses vêtements. De beaucoup trop intime, même.

— Je ne suis pas une poupée ! protesta-t-elle en le foudroyant du regard.

— Qu'es-tu, au juste ? répliqua-t-il avec calme.

— Ta compagne.

Un nouveau sourire dévoila ses dents blanches et régulières, illuminant ses yeux qui scintillèrent comme des diamants noirs. Seigneur, une telle sensualité émanait de cet homme…

— Mais pas ta poupée, insista-t-elle.

— Non, *milaya moya*. Tu n'as rien d'une poupée. Et je ne te cache pas que je préfère t'imaginer comme ma maîtresse, répondit-il d'une voix soyeuse.

A cet instant, la superbe blonde qu'elle avait déjà entrevue dans le bureau de Mikhail entra après avoir frappé à la porte. Ses yeux bleus se posèrent sur son employeur, puis sur Kat, avant qu'elle ne les tourne de nouveau vers Mikhail et lui tende un dossier. Après avoir remercié son assistante, qu'il lui présenta sous le nom de Lara, Mikhail tendit le dossier à Kat.

— Le profil des invités, expliqua-t-il.

Kat serra le dossier, comme s'il était sa seule planche de salut. Tant qu'elle garderait la tête sur les épaules, tant qu'elle jouerait le rôle pour lequel il l'avait embauchée, il pouvait toujours attendre : elle ne deviendrait pas sa maîtresse. Ces vacances de luxe représentaient une simple parenthèse dans sa vie. Une parenthèse dont le seul but consistait à récupérer Birkside.

— Merci. Je vais le lire.

Avec un léger hochement de tête, Mikhail se détourna et regagna sa propre suite. Sans perdre une seconde, Kat se précipita vers la porte pour la verrouiller. Puis, elle s'installa sur le sofa pour étudier le dossier.

Parmi les invités se trouvaient plusieurs hommes d'affaires accompagnés de leurs épouses et de leurs enfants adultes, un entrepreneur bien connu des médias et sa petite amie, une actrice célèbre… Certains noms lui étaient familiers, mais la plupart ne lui évoquaient rien du tout. Néanmoins, lire ces informations lui permit de retrouver son calme. Oui, elle était à bord du *Hawk* pour remplir une fonction et elle comptait tenir son rôle le mieux possible. Revenant à la première page, Kat relut l'ensemble en s'efforçant de mémoriser les détails susceptibles de s'avérer utiles.

Une heure plus tard, vêtue d'une robe ultracourte en lamé bleu électrique, l'assistante de Mikhail vint l'informer que le moment était venu d'aller accueillir les invités qui commençaient à arriver. Avec angoisse, Kat se demanda si elle n'avait pas choisi une tenue trop sobre. A côté de la jeune femme, dans sa robe bleu électrique, elle paraissait si… quelconque ! Non, Mikhail avait eu l'air d'approuver sa tenue. Elle se leva pour suivre Lara.

Dans le vaste salon brillamment éclairé, sofas et fauteuils étaient disposés de façon à former des petits coins à la fois confortables et intimes. Et sur les murs, Kat reconnut quelques toiles célèbres, dont les teintes vives ressortaient sur les cloisons laquées d'un blanc réchauffé d'une subtile pointe d'orangé.

Lara à son côté, elle bavarda quelques instants avec une invitée d'une quarantaine d'années aux cheveux platine, vêtue comme elle d'une robe sobre et élégante. Tout à fait rassurée, Kat constata néanmoins bientôt que les invitées plus jeunes portaient toutes des tenues du style de celle de Lara, montrant de longues jambes à la peau hâlée, des seins à peine dissimulés dans des décolletés plongeants ornés de bijoux voyants.

Au frémissement qui parcourut sa nuque, Kat comprit que Mikhail venait d'arriver. Elle se retourna et croisa son regard. Vêtu d'un pantalon en lin écru et d'une chemise blanche ouverte à l'encolure, qui contrastaient avec sa peau brunie par le soleil et ses cheveux noirs, il produisait un effet si saisissant qu'elle porta malgré elle la main à sa poitrine.

D'ailleurs, elle n'était pas la seule. Toutes les femmes le regardaient, constata-t-elle avec un petit pincement au cœur. Puis, comme un essaim d'abeilles, elles se dirigèrent vers lui d'un même mouvement.

— C'est toujours comme ça dès qu'il paraît quelque part, murmura Lara d'une voix sirupeuse. Vous vous y habituerez.

— Cela ne me dérange pas, répliqua Kat en redressant les épaules.

Lara lui adressa un regard sceptique.

— La plupart des femmes sont prêtes à beaucoup de choses pour l'approcher… de très près…

— Je n'en doute pas, répliqua évasivement Kat.

Le tour privé que prenait cet échange la dérangeait. En effet, elle ignorait si les employés de Mikhail — et notamment sa ravissante assistante personnelle, Lara — savaient qu'elle n'était là que pour faire son job elle aussi. Récupérer Birkside était son seul but, se répéta-t-elle. Et elle y parviendrait, sans que le sexe ne vienne compliquer la donne.

— C'est Lorne Arnold, là-bas, chuchota tout à coup Lara. Et il a l'air de s'ennuyer à mourir. Je vous conseille d'aller vous occuper de lui.

Kat hocha la tête en passant mentalement en revue les infos qu'elle avait retenues avec soin. *Lorne Arnold. Trente-trois ans. Promoteur immobilier basé à Londres. Réussite spectaculaire et entreprise en expansion.*

Impliqué actuellement avec Mikhail dans un projet de développement ambitieux.

Et plutôt bel homme, ajouta Kat en se dirigeant vers lui. Pour l'instant, il était seul, alors que sa compagne, Mel, une analyste financière de haut niveau, aurait dû l'accompagner. Peut-être celle-ci était-elle encore en train de se préparer… Elle fit signe à un serveur de lui apporter une coupe de champagne et se dirigea droit sur Lorne Arnold.

Mikhail parcourut le salon des yeux et tressaillit : Kat riait et souriait à Lorne Arnold. Incrédule, Il vit son ami et partenaire poser la main sur le bras de la jeune femme en attirant son attention vers un tableau accroché sur le mur en face d'eux, puis l'entraîner pour s'en approcher. La rage le traversa avec la force d'un coup de fouet. Comment Lorne osait-il flirter ainsi avec Kat ? Et elle, pourquoi lui souriait-elle — riait-elle avec lui — alors qu'il n'avait, pour sa part, jamais réussi ne serait-ce qu'à avoir une conversation détendue avec elle ?

— Tout va bien ? demanda Stas en s'arrêtant à côté de lui.

Mikhail ne répondit pas. Kat bavardait maintenant avec animation et accompagnait ses paroles de gestes expressifs. Quant à Lorne, il lui avait maintenant passé le bras autour de la taille… Incapable de supporter cette familiarité, Mikhail n'avait qu'une envie : bondir sur son ami pour le saisir au col et le balancer par-dessus bord.

Kat était à lui, bon sang ! — et à lui seul.

D'un pas décidé, il fendit la foule des invités. Ce devait être leur intérêt commun pour l'art qui les avait rapprochés… En effet, Lorne faisait partie du Conseil des Arts d'Angleterre, et Kat avait suivi des études d'histoire de l'art. Encore un goût qu'il ne partageait pas avec elle. Si sa collection était immense et réputée dans le monde entier, elle ne représentait pour lui qu'un investissement, et il aurait été incapable de parler d'une pièce de sa collection.

Lorsqu'elle sentit un bras musclé lui entourer les épaules, Kat n'eut pas besoin de se retourner pour savoir à qui il appartenait.

Les joues en feu, elle vit les traits de Lorne Arnold se crisper tandis que Mikhail s'adressait à lui tout en lui caressant tendrement les cheveux. Visiblement surpris par la nature intime de leur relation, Lorne Arnold recula d'un pas. Comment s'en étonner alors que Mikhail venait de se pencher vers elle pour déposer un baiser brûlant dans son cou ?

Aussitôt, une intense colère l'envahit. Comment osait-il se comporter de la sorte et interrompre sans la moindre délicatesse sa conversation avec l'un des invités ? Mais, malgré elle, une flèche brûlante de désir se mêlait à sa colère. Elle sentit les pointes de ses seins durcir douloureusement sous la soie de sa robe, et ses jambes se mettre à trembler de façon incontrôlable.

— Excuse-nous, dit Mikhail d'un ton sec.

Puis, tout en la maintenant fermement serrée contre lui, il traversa le salon sans répondre aux invités qui s'adressaient à lui.

Posté à côté d'une porte que Kat n'avait pas remarquée en entrant, Stas en fit pivoter le panneau de bois et s'effaça pour les laisser passer. Une lueur amusée semblait briller au fond de ses yeux. Le chef de la sécurité de Mikhail avait toujours fait preuve d'une politesse parfaite à son égard, mais son amusement exacerba la colère de Kat. Elle la contint tant bien que mal pour ne pas créer de scandale.

Après l'avoir conduite dans une pièce située un peu plus loin dans le couloir, sans doute son bureau, Mikhail referma la porte et se retourna vers elle, mais Kat ne lui laissa pas le temps d'ouvrir la bouche.

— Comment oses-tu te conduire ainsi avec moi en public ? Me toucher ? M'embrasser dans le cou ? Visiblement surpris, Mikhail fronça les sourcils d'un air menaçant.

— Et toi, à quoi as-tu pensé en flirtant de façon éhontée avec Lorne Arnold et en l'encourageant à…

— Je ne flirtais pas avec lui ! le coupa Kat avec indignation. Nous ne faisions que bavarder…

— Non, tu flirtais ouvertement ! l'interrompit-il à son tour. Je t'ai vue battre des cils… Tu lui as souri — tu as ri avec lui !

Interdite, elle le fusilla du regard.

— Tu te trompes complètement, Mikhail. Et je te rappelle que nous étions dans une pièce remplie d'invités…

— Lorne n'avait même pas compris qui tu étais ! répliqua Mikhail d'une voix rauque. S'il avait su que tu étais avec moi, il n'aurait jamais posé la main sur toi. Tu aurais dû rester près de moi au lieu d'aller le rejoindre…

— J'aurais dû rester collée à toi, c'est ça ? lança Kat en le défiant du regard. Tu t'es conduit de façon odieuse, je n'ai jamais été aussi embarrassée de ma vie…

— N'exagère pas, s'il te plaît ! tonna Mikhail. Je n'ai fait que t'embrasser dans le cou — il n'y avait rien d'odieux dans mon geste !

Oh si, elle était certaine que Mikhail savait très bien ce qu'il faisait en choisissant cette zone, si sensible, pour l'embrasser ! Une zone dont elle avait totalement ignoré l'existence avant qu'il n'y pose ses lèvres. Il sapait délibérément sa résistance ! Que lui réservait-il encore ?

— Je ne flirtais pas, répéta-t-elle d'un ton cinglant. Et de toute façon, je m'attendais à voir apparaître sa compagne à chaque instant. Une certaine Mel…

— Il m'a dit en arrivant qu'ils avaient rompu il y a quelques semaines. Il cherche une remplaçante, et visiblement tu lui as plu.

A bout de patience, Kat soupira en levant les yeux au ciel.

— Je n'ai fait que me montrer aimable ! Cela fait partie de mon job, non ? Est-ce un crime de sourire aux invités ? Et j'ai à peine ri, au moment où il m'a raconté une anecdote amusante à propos de l'artiste qui a peint le tableau que nous regardions. Cela te dérange ? Parce que je ne te souris pas et que je ne ris pas avec toi ? Eh bien, demande-toi si tu as fait ou dit quoi que ce soit qui m'y incite !

Manifestement furieux qu'elle lui tienne tête, Mikhail laissa échapper un juron. Puis il tendit les mains vers elle.

Kat recula si vivement que si elle ne s'était pas retrouvée appuyée contre l'imposant bureau, elle aurait pu tomber.

— Ne te conduis pas comme un barbare, murmura-t-elle. Et il est hors de question que tu me touches quand tu es de cette humeur.

Mikhail se figea et laissa retomber ses bras le long de son corps.

— Je ne te ferais jamais de mal, répliqua-t-il d'une voix sourde.

Instinctivement, Kat sut qu'il disait la vérité. Il était farouchement déterminé à vaincre ses résistances, mais ne ferait rien contre sa volonté.

— Je sais. Mais je ne tolérerai pas d'être accusée à tort, affirma-t-elle avec force. Tu attends de moi quelque chose que je ne suis pas disposée à t'accorder, Mikhail. Et tu viens de me juger de façon injuste. Je ne flirterai jamais avec aucun de tes invités. Je ne suis pas ce genre de femme, je ne suis même pas sûre de savoir comment faire…

— Tu sais parfaitement comment faire, l'interrompit-il d'un ton sec. Lorne te dévorait des yeux !

— Peut-être, mais moi, j'essayais seulement de jouer mon rôle d'hôtesse et de veiller à son bien-être, répliqua Kat avec calme. Je ne ferais jamais rien qui puisse t'embarrasser, et tu ne dois pas oublier les limites de notre arrangement.

— Que veux-tu dire ? demanda Mikhail.

Mikhail n'en revenait pas. Comment Kat avait-elle réussi à retourner la situation à ce point ? A présent, c'était elle qui le prenait de haut et avait l'air d'attendre des excuses ! Et que dire de la réaction incontrôlable qui s'était emparée de lui en la voyant avec Lorne ? Elle n'augurait rien de bon. Lorne était un partenaire en affaires et un ami, mais s'il avait franchi un pas supplémentaire, s'il s'était fait plus intime avec Kat, Mikhail aurait été capable de le frapper.

Lorsqu'il avait vu son bras lui entourer la taille, il avait perdu toute maîtrise de lui-même. Pourtant ce manque de contrôle ne lui ressemblait pas. Parce que Kat avait raison : qu'aurait-il pu se passer entre Lorne et elle dans ce salon plein de monde ? Rien. De toute façon, il ne s'était jamais montré possessif envers les femmes. Alors pourquoi celle-ci éveillait-elle toutes sortes d'émotions déstabilisantes en lui ?

Mais de là à le traiter de barbare ! Il était un homme sophistiqué, raffiné, civilisé, qui n'avait jamais manqué de respect à une femme.

D'ailleurs, s'il n'avait pas été un gentleman il l'aurait déjà séduite et emmenée dans son lit. Au lieu de quoi, il refrénait sa libido pour la première fois de sa vie…

Lorsqu'il s'avança d'un pas vers elle, Kat tressaillit.

— Qu'est-ce que je ne dois pas oublier, exactement ? insista-t-il en lui caressant la joue.

L'espace d'une seconde, Kat sentit son cerveau se vider. La caresse des doigts de Mikhail sur sa peau produisait des sensations si intenses en elle… Dans l'air, elle devina les effluves musqués de son eau de toilette sous lesquels elle reconnut une odeur plus virile, plus intime.

— Pardon ? murmura-t-elle.

— Tu as dit que je ne devais pas oublier les limites de notre arrangement, rappela-t-il.

Un éclat mordoré illuminait ses yeux noirs tandis qu'il plongeait son regard dans le sien.

— Je… Ah oui… balbutia Kat. Tu ne me possèdes pas, Mikhail. Je ne t'appartiens pas, en aucune façon…

— Comme tu n'appartiens à personne d'autre, précisa-t-il avec calme.

— Non, en effet ! répondit-elle vivement. Ce genre de relation ne m'intéresse pas !

— Sauf avec moi, répliqua posément Mikhail.

Seigneur, cet homme était aussi têtu qu'une mule ! Alors pourquoi ce flot brûlant qui se répandait de nouveau inexorablement en elle ? Pourquoi ces frissons, au plus profond d'elle-même ? Et cette coulée de lave qui se répandait dans tout son corps, sans qu'elle ne puisse l'empêcher ?

— Tu me désires, dit Mikhail d'une voix rauque.

Kat eut à peine le temps d'assimiler la portée de ce qu'il venait de dire, avant de se retrouver dans ses bras, puis assise sur ses genoux tandis qu'il s'installait confortablement dans un fauteuil en cuir fauve.

Un gémissement étouffé monta de la gorge de Mikhail tandis qu'il contemplait les pommettes roses de Kat. Les yeux écarquillés, elle le dévisageait avec un mélange de stupeur, d'incrédulité, mais aussi de désir.

Car il la consumait autant que lui, Mikhail n'en doutait pas un seul instant. Le souffle court, il dut faire un effort extrême pour maîtriser son besoin primaire de la faire sienne. Il désirait cette femme avec une violence inouïe. Une violence qui surpassait en intensité tout ce qu'il avait pu éprouver pour une femme auparavant. Il la voulait sous lui, sur lui, dans toutes les positions possibles et imaginables. Il voulait tout d'elle.

Réprimant le désir impérieux de la posséder, il posa la main sur sa nuque, dont il savoura la douceur, et rapprocha son visage du sien. Puis, lentement, il passa le bout de sa langue sur ses lèvres pulpeuses et cueillit le petit halètement qu'elle exhala.

— Tu es si belle, *milaya moya*, murmura-t-il. Tu me rends fou…

Quand Mikhail prit sa bouche, Kat enfouit les doigts dans ses cheveux épais en se demandant si elle avait perdu l'esprit. Mais de façon étrange, elle se sentait en paix avec elle-même — et en parfaite sécurité dans les bras de Mikhail.

— Mikhail ? murmura-t-elle en écartant légèrement son visage du sien.

— Chut, laisse-toi aller à ton désir.

Il reprit sa bouche avec une passion plus farouche encore. Mais lorsqu'il glissa une main entre ses genoux, Kat se crispa et poussa un petit cri.

— Je ne ferai rien contre ta volonté, chuchota-t-il contre ses lèvres.

Et lorsqu'il les mordilla doucement, elle se détendit et ferma les yeux.

Le goût de Mikhail l'enivrait comme un vin capiteux. Ivre des sensations qui déferlaient en elle, ivre de lui, Kat sentit son sexe palpiter, comme dans l'attente de plaisirs inconnus.

Mikhail était-il relié à elle par un sixième sens ? Au même moment, il remonta sa robe sur ses cuisses. Elle aurait dû protester. Mais le désir qui la torturait était trop puissant. La main de Mikhail remonta à l'intérieur de sa cuisse, là où la peau était fine et si sensible. Avec une lenteur exquise, ses doigts s'approchèrent du lieu où couvait un brasier infernal. Il fallait qu'il la touche, là, sinon elle allait mourir…

Et quand, avec une douceur à peine supportable, Mikhail caressa son sexe à travers le dernier rempart qui le protégeait encore, Kat sentit ses hanches se soulever et ses cuisses s'écarter d'elles-mêmes.

— Fais-le, je t'en supplie… murmura-t-elle.

Peu importait ce qu'il allait faire, il fallait qu'il le fasse, elle en avait besoin, c'était vital…

Une tendresse inconnue s'insinua en Mikhail tandis qu'il regardait le désir transfigurer Kat. Délicatement, il fit glisser sa culotte sur ses cuisses. Les sourcils froncés, il contempla le petit tas d'étoffe blanche qui formait une tache claire sur le tapis. Il n'avait jamais acheté, ni même vu, un tel article de lingerie… Ce coton blanc, c'était si innocent, si… virginal.

Lorsque Mikhail s'aventura entre les plis intimes de sa chair, Kat sentit ses joues s'empourprer. Des ondes incroyables de plaisir naissaient, s'apaisaient, renaissaient, l'emportant dans un lieu jamais exploré qui semblait ouvrir sur des profondeurs mystérieuses et abyssales.

Les yeux toujours fermés, Kat sentit la bouche exigeante de Mikhail reprendre la sienne. Et lorsqu'il lui mordilla la lèvre, en même temps qu'il enfonçait un doigt au plus secret de son corps, elle creusa les reins, submergée par une vague de volupté. Oh ! comme elle aurait voulu qu'il aille plus loin, plus vite ! Comme s'il avait de nouveau deviné son désir, Mikhail accentua sa caresse et, entreprit de caresser délicatement son clitoris du bout du pouce.

— Viens, *laskovaya moya*. Jouis pour moi, ma douce, dit-il d'une voix pressante.

Alors, tout échappa à Kat. Un éclair blanc l'éblouit, et elle poussa un cri en se laissant emporter par un flot indomptable.

— Je veux davantage de toi, murmura Mikhail contre ses lèvres.

A ces mots, elle redescendit sur terre. Horrifiée de l'abandon avec lequel elle venait de se livrer, elle voulut se dégager mais les bras puissants de Mikhail l'entouraient comme un étau. Incapable de le regarder, elle posa les mains sur son torse pour tenter de le repousser.

— Je t'en prie, lâche-moi, chuchota-t-elle.

Avec un soupir excédé, Mikhail la libéra d'un geste brutal.

Les yeux baissés, les joues en feu, elle tira sa robe sur ses cuisses, puis se pencha pour ramasser sa culotte.

— Je ne sais pas quoi dire…

— Alors ne dis rien, la coupa-t-il d'un ton sec. Va te changer pour le dîner. Nous nous retrouverons plus tard.

Dès que Kat eut quitté son bureau, Mikhail poussa un juron à voix haute. Cette femme était bien trop compliquée pour lui. Comment avait-il pu ne pas voir la vérité en face ? Que faisait-il avec elle ? Il aurait dû la renvoyer dans son bled paumé. Non, il aurait dû ne jamais l'en faire sortir, et laisser Lara prendre sa place… Ç'aurait été la conduite la plus rationnelle à adopter. Et il ne faisait jamais rien qui ne soit rationnel.

7.

Cinq jours plus tard, Mikhail prenait un verre avec Lorne Arnold sur l'aire privée attenante à son bureau, tandis que les invités nageaient ou prenaient le soleil sur le pont principal. Il avait tellement l'habitude de voir des femmes à demi nues qu'il accordait à peine un regard aux corps dénudés étendus sur des serviettes ou allongés dans les transats.

A cause de son teint délicat, Kat ne s'exposait pas, et sa silhouette élancée à la peau claire se démarquait encore davantage de celle des autres invitées.

— Tu as de la chance, Kat est une perle rare, dit Lorne en la regardant s'installer dans un transat à l'ombre, un livre à la main.

Une perle, en effet. Mais dont il ne savourait pas encore la rareté. D'ailleurs, la savourerait-il jamais ? Il gardait maintenant ses distances avec elle, mais cela ne calmait en rien les ardeurs de sa libido.

— Naturelle, chaleureuse, intelligente… poursuivit Lorne sans dissimuler son admiration.

Il se tourna vers Mikhail en haussant les sourcils.

— Tu ne sembles pas beaucoup t'occuper d'elle…

— Kat aime se faire désirer, répliqua Mikhail d'un ton sec.

Bon sang, pourquoi avait-il jeté son dévolu sur la seule femme au monde qui ne réclamait pas son attention ? A sa place, toute autre aurait été prête à faire n'importe quoi pour partager son lit !

*
* *

Alors que Kat venait de se mettre à lire, Lara s'installa dans le transat voisin.

— J'ai trop chaud, dit la jeune femme en s'éventant avec un magazine.

Kat se garda de répliquer à la superbe créature aux seins nus — dont le minuscule maillot rose fuchsia couvrait d'ailleurs à peine les fesses rondes et fermes —, qu'elle ferait mieux d'aller piquer une tête dans la piscine. La plupart des invitées, y compris Lara, évitaient de se baigner pour préserver leur coiffure et leur maquillage. De son côté, lasse de rester assise à ne quasiment rien faire, Kat nageait plusieurs fois par jour. Ses cheveux bouclaient encore plus que d'habitude, mais avec un salon de coiffure à bord ce n'était même plus un problème.

— Les invités nous quitteront demain, poursuivit Lara. Que porterez-vous ce soir, pour aller au club d'Ayaia Napa ?

— Je ne sais pas encore, répondit Kat, l'esprit ailleurs.

Elle venait d'apercevoir Mikhail sur son aire privée. Il buvait un verre avec Lorne Arnold. Depuis l'épisode de son bureau, quelques jours plus tôt, il semblait l'ignorer. Il se montrait poli et charmant avec elle, mais sans jamais la toucher. Ce qui l'arrangeait bien au fond. Elle ne parvenait toujours pas à se pardonner son abandon entre ses bras. Après avoir exprimé son refus, elle avait agi en totale contradiction avec elle-même. C'était comme une sorte de schizophrénie. Quand Mikhail était dans les parages, elle développait deux personnalités totalement opposées, l'une raisonnable et décente, et l'autre… complètement dévergondée et irresponsable.

— J'ai pensé que je pourrais vous prêter quelque chose, dit Lara avec un grand sourire. Alors j'ai déposé une robe sur votre lit — j'espère que vous ne m'en voudrez pas de cette initiative…

Depuis quelques jours, Kat avait remarqué que l'assistante de Mikhail faisait des efforts pour se montrer plus aimable avec elle. Si bien que, peu à peu, elle-même s'était détendue en sa présence. En fait, il semblait que d'habitude, Lara s'occupait des invités. Elle devait donc se sentir évincée et frustrée par sa présence, ce qui expliquait son attitude au départ…

— Non, pas du tout. Mais j'ai toutes sortes de robes… répliqua Kat avec amabilité. Il doit bien y en avoir une qui…

— Vous n'avez rien qui convienne pour cette soirée, l'interrompit Lara avec assurance. Pour une fois, mettez-vous au diapason.

— Cela fait des années que je n'avais pas fréquenté ce genre d'endroit, dit Kat en ignorant le manque de tact de la jeune femme. Et puis, j'ai trente-cinq ans.

Lara écarquilla les yeux d'un air stupéfait.

— Ça alors : vous êtes plus vieille que Mikhail ! Moi, je n'ai que vingt-six ans.

Et son allure et son tempérament s'accordaient sans aucun doute mieux à ceux de son boss, songea Kat en admirant le corps parfait de Lara. Elle se sentit soudain envahie par une amertume absurde. L'assistante de Mikhail était vraiment superbe, par ailleurs elle ne manquait pas d'intelligence et manifestement, la pudeur lui était un sentiment inconnu…

Protégée par ses lunettes de soleil, Kat leva les yeux et regarda Mikhail porter son verre à ses lèvres. En l'imaginant avec Lara… ou avec n'importe quelle femme, elle sentit son cœur se serrer douloureusement.

Quelle idiote ! Elle n'avait aucun droit sur Mikhail. Pourtant, elle devait bien s'avouer que, depuis l'épisode brûlant survenu dans son bureau, elle rêvait de lui chaque nuit, et se réveillait le cœur battant et le corps moite après s'être unie à lui, en rêve, dans des étreintes d'un érotisme torride…

*
* *

Quelques heures plus tard, le corps moulé dans la robe rouge coquelicot prêtée par Lara, Kat contempla son reflet dans le miroir de sa suite d'un œil critique. Non seulement cette robe était scandaleusement courte, mais ce décolleté plongeant dans le dos dévoilait beaucoup trop de peau à son goût… Mais que valait son avis ? Pour une fois, elle ne voulait pas détonner par rapport aux invitées glamour de Mikhail. Alors, s'il suffisait d'avoir une allure provocante pour être « au diapason », comme disait Lara… elle pouvait bien faire un petit effort !

En contemplant son reflet dans le miroir, elle pensa à Topsy, qui venait tout juste d'arriver à Birkside pour les vacances scolaires. Kat avait téléphoné à ses sœurs quasiment chaque jour, mais ce n'était pas pareil que de les voir et d'écouter leur joyeux bavardage.

Encore trois semaines à rester coincée sur le palais flottant de Mikhail…

Installée dans un profond fauteuil de cuir violet, Kat sirotait son cocktail tandis que, à l'autre extrémité du *lounge*, Mikhail trônait au milieu de sa cour. Parmi les jolies filles qui rivalisaient pour attirer son attention, il paraissait dans son élément…

— C'est toujours comme ça ? demanda-t-elle sans réfléchir à Lara, assise dans un fauteuil blanc à côté d'elle.

La jeune femme lui jeta un regard plein de pitié.

— Il faut que vous compreniez que les femmes se sont toujours battues pour obtenir les faveurs de Mikhail, dès son plus jeune âge. Il les attire parce que les hommes riches, beaux et encore jeunes sont rares, Kat. Elles espèrent toutes être l'heureuse élue le jour où il décidera de se marier, sauf que Mikhail n'en a pas la moindre intention.

— Cela ne m'étonne pas, répliqua Kat en se levant pour aller aux toilettes.

Avant de s'éloigner, elle jeta un dernier regard en direction de Mikhail, au moment où deux jeunes filles vêtues de robes minuscules se livraient à une sorte de danse du ventre, pour lui et ses compagnons. Décidément, elle avait passé l'âge de s'intéresser à ce genre de divertissement stupide.

A cet instant, Mikhail croisa son regard et, une coupe de champagne à la main, lui fit signe de venir le rejoindre... comme si elle était une serveuse, ou un animal domestique ! Le dos raide, Kat se détourna.

Une fois dans les toilettes luxueuses, elle s'arrêta devant le miroir qui faisait tout le tour de la pièce. Elle ne voulait pas se prélasser dans un club huppé pour les gens riches et célèbres. Elle n'avait pas non plus envie de retourner à bord du somptueux yacht de Mikhail : elle n'y avait pas sa place, et ses sœurs lui manquaient terriblement.

Elle avait voulu croire qu'elle était prête à tout pour récupérer Birkside, mais elle avait eu tort. Mikhail la perturbait. Elle ne s'était même jamais sentie aussi mal à l'aise de sa vie. Quant à son estime d'elle-même, elle la sentait diminuer un peu plus chaque jour. Lorsqu'il l'avait croisée, avant de quitter le yacht, Mikhail avait contemplé sa robe en fronçant les sourcils d'un air désapprobateur. Il n'avait rien dit, mais elle en avait assez de marcher sur des œufs, sans jamais savoir si elle faisait ou ne faisait pas ce qu'il fallait pour être à la hauteur de ses exigences ! Aux yeux de Mikhail, la robe rouge représentait visiblement une faute de goût.

Mais pourquoi se laissait-elle démoraliser par son jugement ? Elle et elle seule pouvait enrayer ce processus dans lequel elle s'était engagée. Si elle continuait sur cette voie, elle ne pourrait plus jamais se regarder dans une glace. Il était grand temps qu'elle réagisse.

Kat ouvrit son petit sac de soirée brodé de perles

nacrées, vérifia qu'elle avait bien son passeport, puis quitta les toilettes d'un pas déterminé. Apercevant Stas posté, comme d'habitude, près de la sortie de la boîte de nuit, elle se dirigea droit vers lui.

— Pourriez-vous faire venir un taxi, s'il vous plaît ? Je voudrais me rendre à l'aéroport, dit-elle d'une voix ferme.

Après un moment d'hésitation, Stas sembla reprendre ses esprits.

— Bien sûr, dit-il en s'inclinant légèrement. Attendez-moi ici : je reviens dans cinq minutes.

Un soulagement immense envahit Kat. Elle prendrait le premier vol à destination de Londres. Rentrer à la maison, trouver un job et un autre lieu où s'installer, voilà ses objectifs. Oh ! elle n'avait pas besoin de Mikhail, ni qu'il lui offre Birkside sur un plateau !

Stas revint comme il l'avait annoncé et ouvrit une double porte donnant sur un couloir. Il s'effaça pour laisser passer Kat.

— Où m'emmenez-vous ?

A cet instant, Mikhail apparut dans l'encadrement d'une autre porte située au fond du couloir, le visage sombre comme un ciel avant l'orage.

— Tu ne t'en vas pas.

Elle le foudroya du regard.

— C'est ce que nous allons voir !

— Nous allons d'abord discuter, *milaya moya*, répliqua-t-il en se dirigeant droit sur elle.

Kat se sentit faiblir sous son regard, mais reprit rapidement ses esprits. De toute façon, elle lui devait un minimum d'explications, alors autant se débarrasser tout de suite de cette corvée. Elle avait été bien naïve en espérant s'en aller sans l'affronter : Mikhail Kusnirovich n'accepterait jamais ce qu'il considérerait bien sûr comme un outrage personnel. Mais elle ne lui appartenait pas, et elle comptait bien lui dire ce qu'elle en pensait. En signant ce fichu arrangement avec Mikhail, elle ne s'était pas vendue à lui !

— Je ne suis pas ta prisonnière, dit-elle en redressant le menton. Je peux m'en aller quand je veux…

— Et où comptes-tu aller au beau milieu de la nuit, dans un pays que tu ne connais pas ? demanda-t-il d'une voix dure.

— Je peux très bien attendre à l'aéroport, et prendre le premier vol pour Londres. Il doit y en avoir fréquemment.

En vérité, elle n'avait pas assez d'argent sur son compte pour payer le billet, mais elle avait prévu d'appeler Saffy pour lui demander de l'acheter pour elle.

Mikhail compta lentement jusqu'à dix en s'efforçant de dompter sa rage. Bon sang, elle avait prévu de le quitter, comme ça ! Il n'arrivait pas à y croire. Jamais une femme ne lui avait tourné le dos, mais évidemment Kat était prête à le faire.

Elle se tenait là, devant lui, sa mince silhouette tendue dans une attitude de défi. Ses yeux verts brillaient d'une détermination farouche et de colère tandis qu'elle avançait son petit menton rond vers lui. Peut-être était-ce sa faute ? Il aurait dû lui accorder plus d'attention ces derniers jours. Il aurait dû lui parler… Mais de quoi exactement ? En dehors de son travail, il ne savait pas parler avec les femmes. En fait, il n'avait jamais essayé. En compagnie de ses maîtresses, il n'avait jamais eu aucune difficulté à communiquer par des moyens bien plus simples — et plus agréables…

— Je ne veux pas que tu t'en ailles, dit-il d'une voix rauque.

— Sois sincère, répliqua-t-elle, les yeux étincelants. Si Stas n'était pas allé te prévenir, tu aurais à peine remarqué mon absence. Surtout que tu ne manques pas de compagnie féminine, ce soir…

— Je m'en fiche, la coupa-t-il sans la moindre hésitation. C'est toi que je veux.

Kat laissa échapper un rire bref et amer.

— On ne dirait pas ! Tu t'y prends vraiment très mal pour me retenir.

— Il n'y a jamais de bon moyen avec toi ! Si tu ne sais pas toi-même ce que tu veux, comment veux-tu que je sache comment m'y prendre ? riposta-t-il, à bout de patience.

— Je sais exactement ce que je veux : rentrer chez moi.

Quand elle redressa la tête d'un air de défi, ses boucles cuivrées ondulèrent doucement sur ses épaules nues.

— Mais voyons..., dit-il d'une voix sombre. Tu allumes un incendie, et tu fuis ! C'est trop commode, *milaya moya.*

— Je ne fuis pas ! protesta-t-elle avec force.

— Si. Tu me désires et je te désire, mais tu es incapable de vivre une chose aussi simple.

— Non, ça n'a rien de simple !

Kat était bouleversée. Comment Mikhail pouvait-il garder son calme alors que, de son côté, elle se trouvait en proie à un chaos épouvantable ?

— Si, répéta-t-il. Le problème, c'est que tu es incapable de dépasser tes inhibitions sexuelles. Tu parlais de couguar, l'autre jour ? lança-t-il avec une ironie mordante. Eh bien franchement, en matière de sexe, tu ressembles plutôt à une écolière. Un pas en avant, deux en arrière. Si je ne te connaissais pas, je te prendrais pour une vulgaire allumeuse...

— Comment oses-tu me parler ainsi ? s'exclama-t-elle en tremblant de rage. Je t'avais prévenu que je ne coucherais pas avec toi !

— Alors que tu continues à vibrer au moindre de mes regards, à la moindre de mes caresses ? demanda-t-il avec un sourire moqueur. Tu es terrifiée de vivre une relation sexuelle avec un homme : c'est la seule raison pour laquelle tu es encore vierge !

— Non, c'est faux ! protesta violemment Kat, les joues en feu.

Comment pouvait-il dire une chose pareille alors qu'il ne savait rien d'elle ? Il ne la connaissait pas !

— Je refuse de laisser un homme se servir de moi, comme d'autres se sont servis de ma mère ! poursuivit-elle sans réfléchir.

— Pardon… ?

Surprise elle-même par sa remarque, Kat battit des paupières pour chasser les souvenirs qui se bousculaient dans son esprit. Alors qu'elle était encore toute petite, Odette lui avait souvent répété que les hommes se montraient capables de toutes les promesses pour attirer une femme dans leur lit, mais qu'aussitôt après être arrivés à leurs fins ils perdaient tout intérêt pour elle.

— Tu ne t'intéresses qu'au sexe, comme beaucoup d'hommes, dit-elle d'une voix crispée. Et moi, je ne veux pas être utilisée pour mon corps.

Mikhail sursauta. En effet, avec les femmes c'était le sexe qui l'intéressait. Pas ces relations durables et affreusement compliquées. Qu'y avait-il de mal à cela ? Pour lui, cela avait toujours représenté une activité normale, naturelle et saine… Jusqu'à ce qu'il rencontre Kat, et que son désir pour elle se voie transformé en véritable test d'endurance.

— J'ai été utilisé par de nombreuses femmes, répliqua-t-il calmement. Pour le sexe, l'argent, pour mes relations. Et alors ? C'est normal. Tu ne peux pas fuir indéfiniment tes désirs, Kat, et ce serait lâche de…

— Je ne suis pas lâche ! l'interrompit Kat le visage blême.

Sans un mot, Mikhail s'avança vers elle, et la souleva dans ses bras. Après l'avoir installée sur le sofa, il se planta devant elle et croisa les bras.

— Très bien. Alors calme-toi et explique-moi le rôle que ta mère a joué dans ton éducation.

Cela ne lui ressemblait pas de jouer les psychanalistes,

mais si cela pouvait empêcher Kat de partir, il était prêt à l'écouter toute la nuit… Et puis, il désirait sincèrement comprendre pourquoi elle se comportait de façon aussi contradictoire.

Kat vit Mikhail se détourner pour aller ouvrir la porte et adresser quelques mots à Stas, en russe, comme d'habitude. Puis il revint se laisser choir avec grâce dans un fauteuil, en face d'elle. Une seconde plus tard, la porte se rouvrit sur une serveuse souriante chargée d'un plateau contenant deux coupes de champagne.

Plongée dans ses pensées, Kat la vit à peine. Rien n'aurait pu arrêter le flot d'images qui défilaient en elle. Elle se revit enfant, son adoration toujours déçue pour sa mère… En général, Kat évitait de songer à cette époque parce que, même après toutes ces années, l'indifférence de sa mère lui faisait encore mal.

Odette n'avait jamais su s'intéresser à qui que ce soit d'autre qu'elle-même. Aussi prenait-elle sa fille pour confidente de ses éternels malheurs. Enfant, Kat avait vu et entendu bien plus qu'elle n'aurait dû, notamment à propos de la tumultueuse vie amoureuse de sa mère.

Une fois devenue adulte, elle avait enfoui ces souvenirs douloureux au plus profond de sa mémoire pour pouvoir avancer dans sa vie. Mais à présent, confrontée elle-même à son désir pour un homme, les choses lui apparaissaient sous un angle si différent… La réalité était si loin de ce que lui avait raconté sa mère. Comment avait-elle pu ne pas s'en rendre compte plus tôt ?

— Kat ? murmura Mikhail. Bois un peu de champagne, cela te fera du bien.

Elle prit la coupe qu'il lui tendait et la porta à ses lèvres.

— Odette, ma mère, était un mannequin recherché mais pas une personne très… agréable, ni bonne. Nous menions une vie instable à cause de ses relations amoureuses qui ne duraient jamais. Elle a épousé mon père, mais elle a divorcé dès que sa carrière de mannequin a pris son essor. Plus tard, elle a quitté son second mari, le père des jumelles, lorsqu'il a fait faillite, mais cela ne l'a pas empêchée de continuer à répéter que les hommes la laissaient tomber et l'utilisaient. C'est seulement maintenant que je vois que, dans la plupart des cas, c'était elle qui les utilisait.

Mikhail ferma à demi les paupières, comme pour mieux l'écouter.

— Et où est la comparaison avec nous ?

— Il n'y en a pas, reconnut Kat.

Elle s'était laissée influencer, comme une idiote, par les lamentations de sa mère pendant des années, sans même s'en apercevoir…

— Tu veux toujours rentrer en Angleterre ?

Un frisson d'appréhension parcourut Kat. Mikhail était un homme très dangereux : il avait choisi le moment idéal pour lui poser cette question. Comme s'il savait qu'au fond elle n'était pas encore prête à renoncer à ce qu'elle pourrait vivre avec lui.

— Non… avoua-t-elle dans un souffle.

— Retournons à bord, dit-il d'une voix rauque en se levant d'un bond.

Kat prit la main qu'il lui tendait.

— Et tes invités ?

— Ils sont trop occupés pour remarquer mon absence, répondit-il d'un ton désinvolte.

Puis il enlaça fermement ses doigts aux siens. Sa main était si ferme, rassurante, et, sur sa joue, elle sentait la caresse de son souffle chaud. Les effluves familiers de son eau de toilette lui montèrent aussitôt à la tête tandis qu'une onde brûlante naissait au creux de ses reins.

En même temps, une souffrance inconnue lui étreignit la poitrine : Mikhail la désirait, cela ne faisait aucun doute — et elle, elle était bel et bien en train de tomber amoureuse…

8.

Le cœur battant à tout rompre, Kat appuya son dos contre la porte de sa chambre : « Tu sais où me trouver »…

Après être revenus à bord du yacht, Mikhail l'avait accompagnée jusqu'à sa suite avant de reculer d'un pas et de se diriger vers la sienne.

« A toi de décider, *milaya moya*, avait-il murmuré en la regardant à travers ses paupières à demi closes. Tu sais où me trouver. »

C'est-à-dire, de l'autre côté de la porte qu'elle avait verrouillée. Il lui laissait l'initiative… Comment aurait-elle pu l'en blâmer, alors qu'elle avait tant de fois affirmé qu'elle ne coucherait pas avec lui ? Enfin, n'avait-elle pas déjà dépassé cet interdit lorsqu'elle l'avait laissé la caresser au plus intime de son corps ?

Inutile de le nier : elle avait désiré Mikhail Kusnirovich dès l'instant où elle avait posé les yeux sur lui. Plus qu'elle aurait imaginé pouvoir désirer un homme.

Et ce désir avait balayé toute logique, tout contrôle. C'était comme une émotion primitive qui la dévorait jour et nuit.

Les mains tremblantes, Kat ôta sa robe rouge et laissa glisser ses sous-vêtements sur le tapis. Résistant au désir de les ramasser aussitôt pour les ranger, elle les contempla sans bouger. Cela faisait trop longtemps qu'elle se conformait à des règles rigides, sans jamais les remettre en question. Jusqu'à présent, elle s'était conduite comme une petite fille sage et obéissante.

Durant ces dix dernières années, elle n'avait pensé qu'à offrir stabilité et sécurité à ses sœurs, quitte à nier ses propres besoins. Et pour quel résultat ? Son sacrifice n'avait pas empêché Emmie de tomber enceinte, ni sa jumelle, Saffy, de se marier trop jeune et de divorcer au bout d'un an.

C'était pour donner le bon exemple que Kat n'avait fréquenté aucun homme depuis une éternité. Il ne s'agissait pas de lâcheté comme l'avait insinué Mikhail, mais de choix.

Et pourtant, si elle avait eu un amant, ses sœurs en auraient-elles vraiment souffert ? D'autant qu'à présent elles devenaient indépendantes et découvraient la vie, tandis qu'elle-même se retrouvait dans une ignorance ridicule pour une femme de son âge. Alors, si elle couchait avec Mikhail, ne serait-ce que pour satisfaire sa curiosité en matière de sexe, cela ne nuirait en aucune façon à ses sœurs !

Bien sûr, le problème c'était qu'elle l'aimait et que, malgré elle, elle attendait beaucoup plus qu'elle ne recevrait jamais de lui. Mais tant pis pour elle. Elle était assez forte pour se permettre cette aventure sans lendemain. De toute façon, elle s'en remettrait. La seule chose qu'elle ne pourrait pas se pardonner, ce serait de continuer à fuir devant ses désirs comme une enfant effrayée. De se servir des erreurs de sa mère pour se protéger de l'attirance qu'elle ressentait pour Mikhail.

Après avoir enfilé une chemise de nuit de soie diaphane, Kat déverrouilla la porte qui donnait sur la chambre de Mikhail et la poussa doucement. Au même instant, il parut sur le seuil de sa salle de bains, une serviette blanche nouée autour des hanches pour tout vêtement. Une lueur de triomphe brilla au fond de ses yeux de jais tandis qu'un sourire victorieux se dessinait sur ses lèvres sensuelles.

A moitié nu, il était encore plus impressionnant… songea Kat, incapable de détacher son regard des gouttelettes qui scintillaient comme des diamants sur la toison brune de son torse. La gorge sèche, elle contempla ses abdominaux et son ventre plat. Mikhail avait un corps fabuleux…

— J'ai l'impression de t'avoir attendue depuis toujours, dit-il d'une voix rauque.

Sans plus attendre, il s'avança vers elle et la souleva dans ses bras avant de l'installer sur le grand canapé.

— Et moi, je n'arrive pas à me rendre compte que j'ai franchi le pas, avoua Kat.

— Tu as bien fait, *laskovaya moya*.

Il se pencha vers elle et prit sa bouche en un baiser si ardent que Kat s'embrasa immédiatement. Le goût de Mikhail était divin, son parfum enivrant… Elle s'accrocha de toutes ses forces à ses solides épaules tandis qu'un désir fou s'emparait d'elle. Ses seins se gonflèrent, leurs pointes tressaillant sous la soie au contact du torse musclé de Mikhail. Et sous l'épaisse serviette blanche, Kat sentit son érection se presser contre sa cuisse.

Lorsqu'il s'écarta, le souffle court, elle sentit une émotion inconnue lui nouer la poitrine. Il était si beau ! Lentement, il fit glisser les fines bretelles de sa nuisette sur ses épaules. Lorsque la soie descendit jusqu'à sa taille, dévoilant son buste, elle laissa échapper un halètement. Sans un mot, Mikhail referma les mains sur ses seins et en caressa doucement les pointes.

— Mikhail…

Presque effrayée par l'intensité des sensations qui l'assaillaient, Kat ferma les yeux.

— J'adore tes seins… murmura Mikhail. Ils sont si doux, leur galbe est si parfait…

Quand il se pencha et prit un mamelon entre ses lèvres, un gémissement monta de la gorge de Kat. Délicatement, il la poussa en arrière jusqu'à ce qu'elle soit allongée sur le sofa. Puis, du bout de la langue et des dents, il titilla les pointes gorgées de plaisir de ses seins, tout en laissant ses mains parcourir son corps. Dans l'éclairage tamisé, le contraste entre la peau bronzée de Mikhail et la sienne, si claire, était saisissant. Lorsque Mikhail laissa glisser ses doigts jusqu'à l'endroit où frémissait son désir, Kat renversa la tête en arrière, perdant toute notion du temps et de l'espace.

Mikhail redressa la tête et, sans la quitter des yeux, la fit glisser jusqu'à l'extrémité du sofa. Là, il se laissa tomber à genoux sur le sol.

Kat le laissa faire avec une pointe d'inquiétude. Mais, quand il lui écarta les cuisses pour exposer ce qu'elle n'avait jamais offert au regard ni à la bouche d'aucun homme, elle demanda d'une voix tendue :

— Qu'est-ce que tu fais ?

— N'aie pas peur. Détends-toi. Je veux que tu te souviennes de cette nuit toute ta vie, *laskovaya moya*.

Réprimant l'envie de refermer les cuisses, Kat essaya de ne pas penser à la partie de son anatomie que contemplait le regard avide de Mikhail.

Et soudain, avant qu'elle n'ait le temps de réagir, il referma de nouveau les mains sur ses hanches et plongea la tête entre ses cuisses. Lorsqu'il passa la langue sur son clitoris, le plaisir fut si brut, si intense qu'elle crut qu'elle ne le supporterait pas. Quant aux sons étranges qui jaillissaient de sa propre gorge, elle aurait voulu les contenir mais la langue et les lèvres Mikhail lui infligeaient des tourments si exquis qu'elle y renonça.

Instinctivement, elle creusa les reins et poussa un cri en sentant les doigts de Mikhail la pénétrer tandis qu'il continuait à lui prodiguer de savantes caresses du bout de la langue. Alors, Kat perdit complètement le contrôle des sensations qui se succédaient en elle. Tour à tour, elle trembla, se tendit, ondula, jusqu'au moment où une houle fantastique la souleva. Oubliant toute retenue, Kat cria, et s'envola dans l'extase.

Lorsqu'elle rouvrit les yeux, Mikhail s'était redressé et l'observait.

— J'aime te regarder jouir…

Le visage en feu, Kat ne put que tendre les bras pour l'attirer vers elle. Il s'allongea sur elle et appuya doucement l'extrémité de son sexe contre le sien. Il était épais, incroyablement ferme et dur, et pourtant, c'était comme si son propre corps était fait pour lui, pour l'accueillir en elle sans résister.

Lentement, Mikhail s'enfonça en elle, jusqu'à ce qu'une douleur sourde et brève déchire Kat. Aussitôt, Mikhail se figea.

— Je suis désolé, murmura-t-il. J'ai essayé de m'y prendre en douceur.

Elle pouvait lire sur ses traits tendus par l'effort qu'il exerçait un contrôle d'acier sur ses sens.

— Ça va… Je n'ai déjà plus mal, chuchota-t-elle en soulevant les hanches pour mieux l'accueillir.

— C'est tellement bon que je ne crois pas que je pourrai m'arrêter, souffla Mikhail en se retirant.

Mais aussitôt, il s'enfonça de nouveau en elle, laissant échapper une longue plainte rauque.

Instinctivement, elle s'adapta au rythme qu'il imposait à leur danse lente. C'était magique, et… différent du plaisir qu'elle venait d'éprouver. Mikhail accéléra la cadence, s'enfouissant de plus en plus profondément en elle. Brusquement, elle sentit la jouissance l'emporter plus loin qu'elle n'était jamais allée. Mikhail donna alors un dernier coup de rein et s'abandonna en elle avec gémissement qui se répercuta dans tout le corps de Kat.

Un peu après, encore frémissante, elle referma les bras sur le dos de Mikhail.

— C'est toujours aussi fabuleux ? demanda-t-elle timidement.

Il roula sur le côté en l'entraînant avec lui.

— Oh non ! Je viens de vivre les meilleurs moments de sexe de ma vie, *milaya moya*.

Durant un bref instant, Kat savoura le compliment et la sensation merveilleuse d'intimité qu'elle goûtait dans les bras de Mikhail. Mais brusquement une impression désagréable s'empara d'elle : il venait de l'affubler d'une étiquette. Dans son souvenir, elle resterait celle avec qui il avait vécu les meilleurs moments de sexe de sa vie.

Au lieu du bien-être qui l'avait envahie un peu plus tôt, Kat se sentit rabaissée. Elle n'avait offert qu'une nouvelle expérience à cet homme habitué aux aventures charnelles. La voix étouffée de Mikhail la tira de ses pensées.

— Maintenant, une douche bien chaude.

Sans le moindre effort, il se leva en la gardant serrée dans ses bras et se dirigea vers la salle de bains. Kat laissa échapper une plainte.

— Tu as mal… chuchota Mikhail dans ses cheveux. Mais ne t'inquiète pas, c'est normal.

— Je préférerais retourner dans ma chambre, dit-elle d'une voix tremblante.

— Pas question, tu restes avec moi.

Il la laissa glisser contre lui, puis la tint d'une main ferme tandis qu'il ouvrait le robinet de la douche.

— Je croyais que tu tenais à ton espace privé, insista Kat.

A présent, elle se sentait mal à l'aise, surtout avec son corps nu exposé en pleine lumière…

— Mais j'aime encore plus la perspective de t'avoir dans mon lit demain matin au réveil, répondit-il d'une voix rauque.

Puis il reprit sa bouche avec passion. Emprisonnée contre le corps puissant de Mikhail, Kat se rendit compte avec stupeur que, en dépit des dernières vagues de plaisir qui s'estompaient à peine, elle avait déjà envie de refaire l'amour.

— Et voilà, mes cheveux sont mouillés… protesta-t-elle faiblement quand leurs bouches se séparèrent.

— Tu y survivras, *laskovaya moya*.

Il se pencha et passa de petits coups de langue terriblement excitants sur ses mamelons durcis. Lui aussi, il était déjà prêt à recommencer, constata Kat en sentant son érection lui caresser le ventre.

Comme s'il lisait dans ses pensées, il se redressa, la souleva dans ses bras et sortit de la douche. Avec douceur, il l'assit sur la surface de marbre à côté du double lavabo. Cette fois, Kat oublia ses cheveux et la tête qu'elle aurait le lendemain au réveil. Elle oublia tout sauf le brasier qui la consumait.

D'un geste rapide, Mikhail sortit un petit sachet d'un tiroir, le déchira puis enfila le préservatif qu'il contenait. Quand il s'installa entre ses cuisses, Kat écarta d'elle-même les jambes pour mieux l'accueillir en elle.

Un spasme violent la traversa tandis qu'il s'enfonçait en elle avec une lenteur exquise. Des petits frissons lui traversaient le corps, tandis qu'il s'enfonçait plus profondément.

— Tu es si chaude, si serrée…

La voix rauque de Mikhail lui arracha un gémissement de désir.

Alors, Mikhail glissa la main entre leurs deux corps soudés, et caressa son clitoris. Et lorsqu'elle s'accrocha à ses épaules en gémissant, il accéléra le rythme de ses coups de reins.

— Viens, maintenant, murmura-t-il. Avec moi…

Elle le pressa plus fort contre elle et poussa un cri, puis ils s'envolèrent tous deux dans un univers où aucun d'eux ne s'était jamais aventuré.

Au petit matin, Kat s'éveilla sous les caresses de Mikhail. Les caresses de sa langue, de ses lèvres, de ses doigts… Avant même qu'elle n'ait eu le temps de comprendre dans quels délices elle se trouvait transportée, il lui avait fait l'amour encore et encore jusqu'à ce qu'elle hurle de plaisir et qu'ils sombrent ensemble dans l'extase.

— Nous allons nous doucher ensemble, dit-il longtemps après en se redressant au-dessus d'elle.

Kat hésita un bref instant avant de répondre d'une voix ferme :

— Non, je vais retourner dans ma suite, à présent.

— Très bien. Petit déjeuner dans dix minutes.

Elle attendit qu'il ait refermé la porte de la salle de bains pour sortir du lit. A vrai dire, après cette nuit de passion, elle avait mal partout… Et quand elle posa les pieds sur le tapis, elle dut serrer les dents pour retenir un gémissement de douleur. Seigneur, elle n'aurait même pas imaginé posséder la moitié des muscles qui la faisaient souffrir à présent…

Lorsqu'elle vit son reflet dans le miroir de sa salle de bains, elle poussa un cri horrifié. Ses cheveux tire-bouchonnaient dans tous les sens, et sa bouche était enflée, rouge, tandis que ses yeux verts semblaient s'être agrandis en l'espace de quelques heures…

Après avoir rassemblé ses boucles indisciplinées et les avoir fixées avec une pince, elle entra dans la cabine de douche, bien décidée à effacer les traces un peu trop flagrantes de cette folle nuit.

Douchée, shampouinée, séchée, Kat appliqua un peu de fond de teint pour tenter de dissimuler ses cernes et les marques laissées par la barbe naissante de Mikhail sur sa gorge, son cou et ses joues.

Quand elle eut terminé, elle choisit une robe bain de soleil couleur lilas et sortit à la hâte. Elle n'oubliait pas la clause de ponctualité de son contrat…

Ainsi, c'était ça, le sexe, songea-t-elle en quittant sa cabine. C'était tellement différent de ce qu'elle avait pu imaginer. Tellement mieux, en fait. Plus excitant, plus intime, plus merveilleux. Kat avait adoré tout ce que Mikhail lui avait fait et elle s'étonnait encore de s'être débarrassée aussi vite de sa timidité et de sa pudeur. Quelle chance elle avait eue de découvrir les trésors de la volupté avec un amant aussi fabuleux !

*
* *

Le petit déjeuner fut servi sur l'aire privée attenante au bureau de Mikhail. Le soleil faisait miroiter les eaux de la Méditerranée tandis que Kat beurrait un toast en essayant de cesser de sourire béatement. Il fallait qu'elle réprime les étincelles joyeuses qui pétillaient dans tout son être. Elle ne vivait pas une histoire d'amour avec Mikhail, alors pas la peine de célébrer l'événement, ni d'espérer quoi que ce soit. Ils vivaient une brève aventure, rien de plus. D'ailleurs, il était temps qu'ils aient la conversation qu'elle redoutait.

— Tu ne peux plus me donner Birkside, à présent, dit-elle brutalement.

— Pardon ? fit Mikhail en haussant un sourcil.

— Maintenant que nous avons couché ensemble, ce serait incorrect, répliqua-t-elle de la voix la plus neutre possible.

— D'après quel code sexuel ?

Un sourire moqueur tressaillait au coin de ses lèvres.

— Si j'acceptais que tu me restitues ma maison, ce serait comme si j'acceptais d'être rémunérée pour un service sexuel…

— Ne cherche pas de complications là où il n'y en a pas, Kat, la coupa-t-il avec calme. Nous avons passé un arrangement, et je ne vois aucune raison de ne pas le respecter. Birkside est à toi.

— Non, désormais la maison t'appartient, rétorqua-t-elle avec obstination.

— Arrête ! s'exclama Mikhail avec impatience. Tu dis n'importe quoi.

— Tu sais très bien que j'ai raison !

— Je n'ai pas entendu ce que tu as dit, répliqua-t-il en levant la main.

De son côté, la discussion était visiblement close. Kat le foudroya du regard.

— Je te dis ce que tu dois faire, et… tu le fais, reprit-il

d'une voix douce, comme s'il tentait de convaincre un enfant rétif. Cela fait partie de notre arrangement et j'aimerais que tu le respectes.

Furieuse, Kat se leva d'un bond et alla s'appuyer au bastingage.

— Tu te conduis de nouveau comme un barbare, marmonna-t-elle.

Les mains chaudes de Mikhail lui caressèrent le dos avant de se refermer sur ses hanches.

— Peut-être, mais cela t'excite…

— Ce n'est pas vrai ! protesta-t-elle en s'agrippant au rail de métal brillant.

Il glissa les mains sous sa robe et les fit remonter le long de ses cuisses.

— Qu'est-ce que tu fais ? demanda Kat en retenant son souffle.

Mikhail fit glisser ses doigts sur sa culotte de soie.

— Ote-là, dit-il d'une voix rauque.

— Tu es devenu fou ? s'exclama Kat en s'efforçant de réprimer l'excitation insensée qui s'emparait d'elle.

— Rien qu'à la pensée de te savoir nue sous ta robe, je deviens fou de désir, oui, murmura-t-il en l'embrassant sous l'oreille. Où est le problème ?

— Je me sentirais mal à l'aise si je l'enlevais.

Pour toute réponse, Mikhail la retourna vers lui et l'embrassa avec ardeur. Il se rassit dans son fauteuil et l'installa à califourchon sur lui.

Mikhail n'accepterait jamais qu'elle lui refuse quoi que ce soit, comprit-elle confusément tandis qu'il lui caressait l'intérieur des cuisses avec un art redoutable. Et quand elle tenait bon, il trouvait un autre moyen d'arriver à son but.

Elle appuya la main sur sa robe pour empêcher ses mains de poursuivre leur délicieuse progression.

— Non, Mikhail. Je garderai mes sous-vêtements !

— Tu es vraiment trop têtue, murmura Mikhail contre ses lèvres.

— Et toi, tu es trop sexy…, riposta Kat en retenant un gémissement.

A ces mots, il redressa la tête et éclata de rire.

— Tu trouves ?

Emerveillée de se sentir aussi détendue, elle sourit.

— Oui. Mais ne devrions-nous pas aller retrouver tes invités ? C'est leur dernier petit déjeuner à bord…

— Tu ne veux pas oublier un peu d'être raisonnable, *milaya moya* ?

— Je suis toujours raisonnable, répliqua Kat avec malice.

— Si tu l'étais autant que cela, tu m'aurais évité comme la peste ! affirma Mikhail le plus sérieusement du monde.

A ces mots, un frisson désagréable parcourut Kat. C'était du sexe, rien que du sexe, qui les avait réunis, elle ne devait pas l'oublier. Mikhail était un amant fantastique, mais rien d'autre. Et il était hors de question qu'elle continue à développer des sentiments absurdes pour lui.

Doucement, elle se dégagea de son étreinte. Et cette fois, Mikhail la laissa faire sans dire un mot — mais la lueur mécontente qui assombrissait ses yeux était plus éloquente que toute parole.

— J'avais six ans quand ma mère est morte, laissa tomber Mikhail avec réticence.

Depuis qu'ils se connaissaient, il n'avait jamais fait allusion à sa famille ou à son enfance. Aussi Kat avait-elle décidé de l'interroger, sans se laisser intimider par sa répugnance manifeste à se confier.

— Qu'est-ce qui a causé sa mort ? demanda-t-elle.

— Elle était enceinte et devait accoucher à la maison. Mais il y a eu un problème qui a provoqué une hémorragie. Le bébé est mort lui aussi, répondit-il d'un ton brusque.

— Cela a dû être très dur pour toi et ton père.

— Si elle avait bénéficié de soins appropriés, elle aurait sans doute survécu, mais mon père a refusé qu'elle soit transportée à l'hôpital.

— Pourquoi ? s'exclama Kat, abasourdie.

Un éclat farouche traversa le regard de Mikhail.

— Je ne veux pas en parler. Tu comprendras sans doute que ce ne soit pas mon sujet conversation favori ?

Puis il fit volte-face et s'éloigna à grands pas.

Kat retint un soupir. Depuis trois semaines, Mikhail se fermait comme une huître dès qu'elle abordait certains sujets, alors qu'il avait obtenu d'elle toutes sortes de détails sur sa vie, son passé, son enfance. Se montrait-elle trop curieuse ? C'était pourtant naturel de vouloir en savoir un peu plus sur l'homme avec qui elle passait toutes ses nuits, et la majeure partie de ses journées…

Plus elle passait de temps avec Mikhail, plus elle se sentait proche de lui. D'autres invités les avaient rejoints, avant de les quitter quelques jours plus tôt. Des barbecues avaient été organisés sur des plages désertes, il y avait eu des excursions dans l'arrière-pays, des soirées dans des clubs privés, des expéditions dans des boutiques hyper luxueuses…

A plusieurs reprises, Mikhail l'avait félicitée sur ses talents d'hôtesse, mais à vrai dire cela ne lui coûtait pas beaucoup d'efforts. Elle avait toujours aimé rencontrer des gens différents et adorait faire en sorte qu'ils s'amusent et se sentent bien. N'était-ce pas la raison pour laquelle elle avait ouvert une maison d'hôtes ?

Pourtant tout n'était pas parfait. Non, elle devait constamment faire l'effort de se rappeler que l'homme qui partageait ses nuits n'était qu'un amant temporaire — pas un compagnon. Leur relation comportait des limites strictes et de toute évidence, elle venait d'en franchir une en le questionnant sur sa mère.

*
* *

Installé à son bureau, Mikhail ouvrit son ordinateur portable. Kat dormirait seule, ce soir. Il pouvait bien supporter de passer une nuit sans elle. Il ne s'était jamais senti dépendant d'une femme et il ne comptait pas faire exception pour Kat. Toutefois, il y avait une différence entre elle et les maîtresses qui l'avaient précédée dans son lit : il ne parvenait pas à se lasser d'elle. A vrai dire, il n'était même pas encore repu de ce corps mince à la peau d'albâtre qui se mêlait au sien en une fusion totale. Comme s'ils avaient été créés dans le seul but de s'unir…

Avec Kat, le sexe était fabuleux. Dévastateur, même. Tout ce qu'il avait toujours désiré, tout ce qu'il n'aurait jamais osé espérer trouver avec une femme, il le vivait avec Kat.

Il lui suffisait de songer à elle pour avoir envie de se précipiter à sa rencontre. Alors qu'ils étaient ensemble depuis trois semaines, la seule perspective de la posséder éveillait encore un désir fou en lui.

Et ce constat lui déplaisait profondément. Il n'aimait pas que Kat exerce un tel pouvoir sur lui. Et il détestait les moments où elle essayait de l'entraîner dans l'un de ces dialogues absurdes auquel il s'était toujours refusé avec une femme. Et avec quiconque, d'ailleurs.

Il referma son portable d'un geste brusque et se dirigea vers la porte.

— Où est-elle ? demanda-t-il à Stas qui montait la garde dans le couloir.

— Toujours sur le pont.

Mikhail trouva Kat appuyée au bastingage. Elle contemplait la mer, sa robe ondulant sur ses courbes ravissantes au gré de la brise. Quand il posa les mains sur ses épaules, elle sursauta violemment.

— Cesse de fourrer ton adorable petit nez dans ce qui ne te regarde pas, dit-il en l'attirant contre lui.

— Je ne suis pas une fouineuse, tu exagères !

— Mon enfance n'a pas vraiment été une partie de plaisir.

— La mienne non plus. Mais il arrive un moment dans la vie où il faut l'accepter, et avancer…

— Je n'ai pas besoin de cela pour avancer, murmura-t-il en penchant la tête.

Il l'embrassa dans le cou, à cet endroit précis où elle était le plus sensible, et qu'il connaissait si bien.

— Le fait que tu refuses d'en parler est très révélateur, insista-t-elle. Pourquoi tant de mystères ?

— Je ne fais aucun mystère.

Kat le dévisagea avec scepticisme.

— Ma mère appartenait à une tribu de bergers nomades, en Sibérie, reprit-il d'un ton sec. Mon père s'est rendu là-bas car il essayait d'obtenir les droits d'exploitation de pétrole et de gaz dans cette région quand il l'a vue. D'après lui, ça a été un vrai coup de foudre. Elle était très belle mais elle ne parlait pas un mot de russe. Ma mère était analphabète.

Kat garda le silence. Ces aveux lui coûtaient manifestement, et elle ne voulait pas briser cet instant si fragile.

— Leonid, mon père, a dû l'épouser pour que sa famille la laisse partir. Il l'a arrachée à sa vie de nomade et l'a installée dans un manoir. Mon père était obsédé par elle. Il aimait qu'elle dépende de lui pour tout, qu'elle ne comprenne rien à la vie qu'il menait, ni au monde dans lequel il évoluait. Il aimait son ignorance, son asservissement.

Mikhail s'interrompit un instant, le regard perdu dans le passé.

— Il ne l'emmenait jamais nulle part. Ma mère vivait recluse, il la traitait comme une domestique, une esclave, et quand elle commettait une erreur, il la battait sans pitié !

Choquée, Kat étouffa un cri d'horreur.

— Il te battait aussi ?

— Seulement quand j'essayais de la protéger, répondit

Mikhail avec un sourire dur. Je n'avais que six ans quand elle est morte… Je n'étais pas assez fort pour l'empêcher de la battre. Mon père était sujet à de violents accès de rage et, pourtant, sa femme aurait été prête à embrasser le sol où il posait les pieds. Parce qu'elle croyait que c'était son devoir de contenter son époux. S'il n'était pas content, elle estimait que c'était sa faute.

— Elle avait sans doute été élevée dans cet état d'esprit, dit Kat d'une voix douce. C'est difficile de se débarrasser de ce genre d'éducation.

— Mais toi, tu ne perds pas une occasion de t'opposer à moi.

— Tu préférerais peut-être une maîtresse dévouée, tout à ton service…

— Non ! l'interrompit-il aussitôt. Si tu avais peur de moi ou essayais de m'impressionner, ou si tu reniais qui tu es pour me faire plaisir, je ne te désirerais pas.

— Je n'ai jamais compris pourquoi tu me désirais…

— Il n'y a rien à comprendre, *milaya moya*, dit-il en plongeant son regard dans le sien. Je te désire, là, maintenant.

— Parce que je t'ai agacé…

— Je n'étais pas agacé…

— Si ! Tu étais même furieux ! insista-t-elle.

Mikhail éclata de rire en l'enlaçant.

— J'allais dire que tu ne serais jamais douée pour la diplomatie mais je me trompe peut-être. Tu es naturelle, directe… Tu sais combien cela me plaît, murmura-t-il en la soulevant dans ses bras.

La porte de sa chambre à peine refermée, Mikhail la déposa sur le lit et se débarrassa de sa chemise d'un seul geste puis de son pantalon, révélant son corps superbe.

Kat tendit la main pour caresser son sexe déjà ferme et si doux. Mikhail posa les mains sur le décolleté de sa robe et tira sur l'étoffe qui se déchira avec un bruit sec.

— Mikhail ! protesta-t-elle. J'aimais beaucoup cette robe !

Sans s'émouvoir, il lui ôta ce qu'il en restait et laissa les morceaux de tissu retomber sur le tapis.

— Tu m'excites trop, *milaya moya*… Je ne peux pas attendre…

— Nous sommes sortis de ce lit il y a à peine deux heures, murmura Kat avant de passer malicieusement le bout de la langue sur le contour des lèvres de Mikhail.

— Eh bien, tu aurais dû m'accorder plus d'attention tout à l'heure, répliqua-t-il avec un sourire charmeur.

Il tendit la main pour lui caresser les seins et quand il fit rouler les mamelons dressés entre ses doigts, Kat se mit à haleter sans retenue.

— Tu es si chaude, murmura Mikhail en laissant glisser ses doigts entre ses cuisses. Et, tu es prête…

Il referma les mains sur ses hanches, la souleva pour l'attirer vers lui et la pénétra d'un vigoureux coup de reins. Envahie par le désir, Kat laissa échapper un cri rauque. Mikhail entama alors un lent va-et-vient, s'enfonçant en elle encore et encore, de plus en plus fort, de plus en plus vite. Le plaisir montait en vagues puissantes tandis qu'elle haletait, soupirait, gémissait, suppliait, jusqu'à basculer, enfin, dans l'extase.

Chaque fois, pour Kat, c'était comme arriver au paradis. C'était toujours plus éblouissant, plus intense, plus merveilleux… Comment était-elle censée réapprendre à vivre sans un tel ravissement ?

Mikhail enfouit son visage dans le creux de son épaule, et elle sentit une immense tendresse l'envahir. Non, elle ne devait pas se laisser aller à de tels sentiments. Elle le repoussa doucement.

— Tu m'écrases, murmura-t-elle.

Aussitôt, il roula sur le côté avant de la reprendre dans ses bras pour l'embrasser avec fougue.

— Je suis fou de toi, dit-il d'une voix rauque. J'ai déjà envie de recommencer…

— Pas question : je ne pourrai plus bouger avant minuit… murmura Kat.

— Je suis prêt à faire tout le travail…

Brusquement, Mikhail se redressa et poussa un juron.

— Je n'ai pas utilisé de préservatif !

Atterrée, Kat frissonna. Comment avait-il pu oublier ?. Mikhail ne prenait jamais de risque. Quel que soit le moment où le lieu où ils faisaient l'amour, il veillait toujours à avoir un préservatif à sa portée.

— Et si mes calculs sont justes, nous avons choisi le mauvais jour pour nous permettre un tel oubli, poursuivit-il. Cela fait moins de deux semaines que tu as eu tes règles, n'est-ce pas ? Tu es en plein milieu de ta période de fertilité.

Fallait-il vraiment qu'il lui rappelle sa connaissance des détails les plus intimes de sa vie ? Embarrassée, Kat détourna la tête.

— Eh bien, espérons que nous n'aurons pas de mauvaise surprise, laissa-t-elle tomber en se glissant hors du lit.

Il la rejoignit au moment où elle entrait dans la salle de bains.

— Ne t'inquiète pas, dit-il en l'entraînant vers la douche. Si tu es enceinte, nous assumerons la situation ensemble, *milaya moya*.

De longues heures plus tard, incapable de trouver le sommeil, Kat repensa à l'incident. Dans deux jours, elle quitterait le yacht, et Mikhail. Il n'avait pas proposé qu'ils se revoient, et c'était mieux ainsi. Si elle était tombée amoureuse, ce n'était pas sa faute à lui après tout. Il ne lui avait jamais fait aucune promesse. Ne lui avait jamais menti.

Alors, quand et comment avait-elle pu tomber amoureuse de Mikhail ?

Etait-ce arrivé lorsqu'il avait demandé que du chocolat chaud lui soit servi chaque matin alors qu'il trouvait ce mélange sucré répugnant ?

Quand il lui avait appris ses premiers mots de russe ? Ou le soir où il l'avait laissée choisir le programme de la télévision et n'avait pas protesté lorsqu'elle avait arrêté son choix sur une émission qui l'ennuyait prodigieusement ?

Ou encore, lorsque Kat avait découvert qu'il lui avait fait couler un bain chaud dans lequel il avait ajouté un mélange d'huiles essentielles, un jour où elle souffrait de crampes épouvantables ?

Ou bien la première fois qu'il avait affirmé qu'elle était la femme la plus merveilleuse de la planète ?

Kat se tourna doucement vers Mikhail endormi à son côté et contempla son beau visage dont les hautes pommettes ressortaient dans la pénombre. Elle essaya de se rappeler à quoi avait ressemblé sa vie avant de le rencontrer, mais tout lui sembla triste et morne. C'était comme si son existence s'était déroulée dans un monde en noir et blanc, avant qu'elle ne découvre la couleur avec Mikhail.

9.

— Qu'aimerais-tu faire aujourd'hui ? demanda Mikhail en enveloppant Kat dans une grande serviette moelleuse.

— Je croyais que tu voulais travailler…

— Alors que c'est notre dernier jour ?

A ces mots, Kat eut l'impression qu'un couteau s'enfonçait dans son cœur. Ces jours derniers, elle avait pensé stupidement que Mikhail ne se rendait pas compte que la durée fixée dans leur arrangement allait bientôt toucher à sa fin.

Comme si un homme aussi organisé que lui avait pu oublier un détail pareil ! Il fonctionnait selon une organisation infaillible, ne négligeant aucun détail.

— Si nous nous comportions comme des gens ordinaires, pour une fois ? lança-t-elle avec un sourire.

— Ordinaires ? répéta-t-il manifestement décontenancé.

— Oui, nous pourrions aller nous balader dans la rue sans ton armée de gardes du corps, faire un peu de lèche-vitrines, prendre un café en terrasse… Des choses simples.

Mikhail haussa les épaules d'un air détaché.

— Je devrais y arriver.

Un peu plus tard, la navette les déposa sur le quai, à l'endroit où commençait le chemin côtier surplombant la baie. Stas et ses hommes les suivaient, mais à distance. Vêtu d'un short décontracté et d'une chemise déboutonnée sur sa poitrine à la peau de bronze, Mikhail proposa au bout d'un quart d'heure d'aller faire un tour en ville. Il prit la main de Kat et l'entraîna vers la rue principale de la station balnéaire.

Dans un magasin de souvenirs, elle acheta une petite chouette de verre pour la collection de Topsy, mais lorsque Mikhail sortit son portefeuille, Kat l'arrêta d'un geste et insista pour payer elle-même.

— Finalement, je n'aime pas les femmes indépendantes, dit-il une fois qu'ils eurent quitté la boutique.

Sans répondre, elle s'arrêta un peu plus loin devant une vitrine où étaient exposés des bijoux fantaisie.

— Il n'y a rien pour toi ici, *milaya moya*. A des prix aussi bas, il ne peut s'agir que de faux.

— Je ne suis pas snob…

— Moi, si, l'interrompit-il aussitôt. Laquelle t'intéresse ?

— La verte.

— Je ne pourrais pas supporter de la voir à ton doigt, répliqua Mikhail en lui prenant le bras pour l'entraîner. Où allons-nous prendre le café ?

Kat repéra un petit établissement à l'air tranquille dont la terrasse dominait la plage. Les fauteuils paraissaient confortables, et la vue était superbe.

— En quoi cet endroit est-il extraordinaire ? demanda Mikhail en allongeant ses longues jambes devant lui.

— Ce café n'est ni à la mode ni luxueux, c'est ça qui me plaît. Et on y est bien, expliqua Kat.

Il fallait absolument qu'elle aborde le sujet qui la taraudait. Maintenant, c'était le moment.

Mikhail dévisagea Kat à l'abri de ses paupières mi-closes. Ainsi, le moment de se dire adieu était finalement arrivé. Kat lui manquerait, inutile de le nier. Et pas seulement au lit. Il regretterait ses provocations, ses défis permanents, son désintérêt total pour sa fortune, ses rapports simples et faciles avec les membres de son personnel et ses invités.

La perspective qu'une femme puisse lui manquer était nouvelle, et… dérangeante. Dire qu'il avait toujours été certain que pour chaque femme qui sortait de sa vie, une autre, encore plus séduisante prendrait sa place…

Cette fois, c'était différent. Mais il s'habituerait à l'absence de Kat, comme il s'habituait à tout. Et il reprendrait sa vie comme avant, dans un univers peuplé de créatures ravissantes.

De son côté, Kat retournerait à son ancienne existence, dans cette maison isolée au milieu de nulle part… Et puis elle n'aurait sans doute pas le temps de souffrir de solitude. Lorne attendait en coulisse, prêt à bondir dès que la voie serait libre… Mikhail serra les poings en imaginant Kat au lit avec son ami. Comme dans un cauchemar, il la vit écarter ses jambes fuselées à la peau claire pour lui, puis pousser ses délicieux petits cris de gorge…

A cette pensée, il sentit son ventre se nouer. Assez ! La jalousie n'avait jamais fait partie de son quotidien Et quand c'était fini, c'était fini. Il n'était pas comme son père, obsédé par une seule femme au point de la garder prisonnière, de faire de sa vie un cauchemar, puis de noyer son désespoir dans l'alcool après sa mort. Une mort dont il était d'ailleurs seul responsable…

Non, lui, il ne se laissait pas diriger par l'émotion. Il ne s'attachait jamais à aucune femme. Par conséquent, il n'avait jamais fait de mal à aucune de ses maîtresses, n'avait jamais trahi personne.

Et surtout, il ne se plaçait jamais en position de vulnérabilité.

— A quoi penses-tu ? demanda Kat. Tu as l'air en colère.

— Pas du tout, répliqua-t-il avec agacement.

A présent, elle lisait si facilement en lui qu'il commençait à être irrité par sa perspicacité. C'était comme une intrusion permanente dans son intimité mentale. Dire que la veille, pour la première fois de sa vie, il avait oublié d'utiliser un préservatif ! Oui, il fallait qu'il prenne ses distances vis-à-vis de Kat. Et vite.

Au fond, la fin de leur arrangement arrivait au bon moment.

— En tout cas, tu n'as pas l'air heureux, insista-t-elle.

— Eh bien, tu te trompes, affirma-t-il d'un ton brusque.

Mikhail se força à dresser la liste de ce qu'il n'aimait pas chez Kat. Elle posait des questions bizarres et refusait de s'arrêter, même quand il exprimait clairement sa désapprobation. Elle se blottissait contre lui au lit — ce qu'il trouvait néanmoins touchant, reconnut-il. Il avait beau ne pas être du genre expansif, il appréciait la façon dont elle lui exprimait son affection.

Oui, mais elle tenait à prendre des douches brûlantes, et persistait à consommer des choses bien trop sucrées. Et, surtout, elle se moquait de lui quand il lui démontrait que ce n'était pas bon pour sa santé.

Bon sang, pourquoi s'attardait-il à des détails aussi insignifiants ? Depuis quand se montrait-il pointilleux dans ses rapports avec les femmes ? Et surtout, comment en était-il venu à chercher à se convaincre qu'il avait raison de quitter une maîtresse ?

Et s'il offrait un bijou somptueux à Kat pour lui montrer qu'il était ravi de ce mois passé avec elle ? Voilà ce qu'il fallait faire. Il sortit son mobile de sa poche.

— Tu dois vraiment téléphoner ? demanda Kat.

Sous la douceur de sa voix, il perçut une pointe de reproche. Un défaut de plus à ajouter à la liste…

— Oui, répondit-il sans se justifier.

Blessée, Kat hocha la tête en silence. Avait-elle été naïve d'espérer pouvoir bavarder tranquillement, et sérieusement, en ce dernier jour ? Sans doute. Elle avait même espéré que Mikhail lui demanderait de rester. Quel rêve absurde puisque, de toute façon, elle devait rentrer à Birkside et commencer à emballer ses affaires ! Surtout qu'au village Emmie avait repéré une petite maison bientôt disponible à la location.

Le moment était venu d'informer Mikhail de sa décision.

— J'ai quelque chose d'important à te dire, commença-t-elle d'une voix tendue.

— Tu me le diras quand nous serons retournés à bord, répliqua-t-il en rangeant son téléphone dans sa poche.

— Tu veux déjà rentrer ? Tu n'as même pas touché à ton café !

— La tasse est légèrement ébréchée, répondit-il avec un petit sourire en coin. Désolé, *milaya moya*, je ne suis pas très doué pour l'ordinaire…

— Ce n'est pas grave. Il ne s'agissait pas d'un test. Je voudrais parler de notre arrangement…

— Je ne vois pas l'utilité de revenir sur ce sujet, dit-il en fronçant les sourcils.

Kat inspira à fond.

— Je ne peux pas accepter que tu me rendes Birkside, Mikhail. J'aurais l'impression d'être rémunérée pour des services sexuels.

— Ne sois pas ridicule ! Cet arrangement comportait la restitution de ta maison, et tu l'as accepté, point final.

— Oui, mais depuis la donne a changé, répliqua fermement Kat. Cette maison vaut des millions, et mon job d'hôtesse est loin de valoir une pareille somme.

— C'est mon affaire, pas la tienne, trancha-t-il d'un ton brutal en la fusillant du regard.

Kat tressaillit, mais hors de question de baisser les bras.

— Je refuse de récupérer cette maison. J'y ai bien réfléchi et je suis sincère, Mikhail. Tout a changé depuis que nous avons conclu cet arrangement, il serait injuste de le respecter.

Mikhail repoussa sa chaise et se leva, comme pour mieux la dominer de toute sa taille. S'il pensait l'intimider, c'était raté ! Il ne lui faisait pas peur.

— Tu récupères cette maison, Kat… Je ne veux plus en entendre parler, compris ?

Du coin de l'œil, elle vit Stas se précipiter et régler l'addition, tout en lançant un regard en biais vers son patron qui s'éloignait à grands pas. Les clients attablés autour d'eux les observaient avec curiosité, remarqua-t-elle, honteuse.

Elle se hâta de rejoindre Mikhail avant qu'il ne quitte la terrasse sans elle.

— Je devais t'expliquer comment je vois les choses, dit-elle en arrivant à sa hauteur.

— Eh bien, maintenant, tu sais comment moi je les vois ! Cesse de te conduire comme une idiote, Kat. J'ai horreur de ce genre de comportement !

Inutile de protester, comprit-elle en le suivant vers le quai où les attendait la navette. Mais maintenant qu'elle avait dit ce qu'elle avait à dire, elle ne reviendrait pas en arrière.

Dès qu'ils furent remontés à bord du *Hawk*, Kat regagna sa suite et sortit sa valise du dressing. Sachant que Mikhail se trouvait dans son bureau, elle alla chercher quelques affaires restées dans sa chambre : une écharpe, deux chemises de nuit et des accessoires de toilette dans sa salle de bains.

Mais lorsqu'elle revint dans sa propre chambre, il l'attendait sur le seuil.

— Tu fais tes bagages, commenta-t-il d'une voix égale.

La gorge nouée par l'émotion, Kat se contenta de hocher la tête et le regarda s'avancer vers le lit.

— Tiens, c'est pour toi… dit-il en laissant tomber un écrin de satin noir sur le couvre-lit. Un modeste gage de mon… appréciation.

Le cœur battant, elle souleva l'écrin et l'ouvrit en retenant son souffle. Il contenait un pendentif d'une beauté fabuleuse : une émeraude magnifique, entourée de diamants étincelants.

— Vu la taille de cette émeraude, ton cadeau n'est pas

vraiment modeste, remarqua-t-elle d'une voix rauque. Quand veux-tu que je porte un bijou aussi somptueux ?

— Ce soir. Porte-le pour moi. Ensuite, tu en feras ce que tu voudras, cela ne me regarde pas.

— Je suppose que je devrais déjà t'avoir remercié, murmura Kat. Mais je suis gênée que tu m'offres un bijou d'une telle valeur.

— Tu aurais préféré quelque chose de plus ordinaire ? répliqua Mikhail en haussant un sourcil d'un air moqueur.

— Bien sûr que non. Mais je suis ordinaire, Mikhail. Et demain, je vais reprendre une vie tout aussi ordinaire.

Kat posa l'écrin ouvert sur la commode et contempla l'émeraude dont le vert luisait d'un éclat sublime.

C'était sa façon de lui dire adieu, et de la remercier, elle le savait. Cela ressemblait parfaitement à Mikhail, alors pourquoi se sentait-elle blessée ? A quoi s'était-elle attendue ? A ce qu'il ne la traite pas comme ses autres maîtresses ? Quelle vanité ! Elle n'était pas spéciale aux yeux de Mikhail. Elle ne l'avait jamais été. Elle avait comblé ses attentes et fait son job, et maintenant, le moment était venu de sortir de sa vie.

Elle se retourna et regarda Mikhail. Ses yeux noirs brillaient d'un tel éclat qu'elle baissa les siens.

— Je te retrouve pour le dîner, dit-il en se détournant.

Puis il quitta la pièce.

Un cœur, cela ne se brisait pas, se persuada Kat, quelques heures plus tard, après avoir ajusté le fermoir du pendentif autour de son cou. On encaissait des coups, on souffrait. Et avec le temps, les blessures cicatrisaient.

Dès le lendemain, elle rentrerait en Angleterre, vendrait le bijou pour avoir un peu d'argent de côté, pour elle et ses sœurs, puis chercherait du travail. Une nouvelle vie l'attendait qui réclamerait toute son énergie.

Kat jeta un coup d'œil à son reflet dans le grand miroir

de sa chambre. D'une main fébrile, elle lissa le tissu sur ses cuisses. Cette robe longue lui allait particulièrement bien. Les motifs floraux colorés du tissu mettaient en valeur son teint clair et la teinte vive de ses cheveux. Quant à l'émeraude, elle brillait sur sa gorge parmi les diamants scintillant de mille feux.

Lorsque Lara vint la prévenir que le dîner était servi, elle promena son regard bleu dans la pièce.

— Je vois que vous avez fait vos bagages, dit-elle.

Kat se contenta de hocher la tête. Dès l'instant où la jeune femme avait compris que Mikhail et elle étaient devenus amants, son attitude amicale avait disparu.

— Etes-vous contrariée de vous en aller ? poursuivit-elle.

— Non, pas vraiment, répondit Kat avec un haussement d'épaule. Mon séjour sur le *Hawk* a représenté une expérience intéressante, mais sans aucun lien avec ma vie habituelle. Je suis impatiente de rentrer chez moi, de remettre mon vieux jean et de bavarder de tout et de rien avec mes sœurs.

Hors de question de reconnaître devant Lara qu'elle se sentait anéantie à la pensée de quitter Mikhail.

— Il est difficile de trouver un homme qui lui arrive à la cheville, répliqua la jeune femme, comme si elle lisait dans ses pensées. J'espère que vous ne redoutez pas d'être déçue par ceux que vous rencontrerez après lui ?

— On verra… fit Kat avec une insouciance qu'elle était loin de ressentir.

Ce n'était pas la première fois qu'elle remarquait l'admiration que nourrissait Lara envers Mikhail. Cette blonde superbe avait sans doute du mal à comprendre que son somptueux patron résiste à ses charmes… Et qu'il ait pu lui préférer une femme ne possédant ni ses atouts ni sa jeunesse.

— Le chef s'est surpassé, ce soir, laissa tomber Lara d'un ton laconique. Tout le monde sait que vous partez demain.

Elle n'avait pas exagéré, constata Kat en arrivant dans

la salle à manger. Une nappe en lin d'un beau ton orange pastel recouvrait la table éclairée par des bougies blanches, et des décorations raffinées, réalisées avec des perles et des boutons de roses, entouraient assiettes et couverts.

Mikhail entra, le téléphone collé à l'oreille, puis le rangea dans sa poche et darda un regard pénétrant sur Kat. Cherchait-il des traces de larmes ? se demanda-t-elle en redressant le menton.

— Tu es d'une beauté éblouissante, ce soir, *milaya moya*, dit-il en s'asseyant en face d'elle. L'émeraude fait ressortir à merveille la teinte de tes yeux.

Après les cocktails, l'entrée fut servie. La poitrine serrée, Kat contempla les crudités arrangées en forme de cœur…

Elle se sentait tellement désemparée qu'elle goûta à peine aux mets délicieux concoctés avec affection par le chef. Dès le premier jour, elle s'était parfaitement entendue avec François.

— Je suppose que tous ces raffinements ont été préparés en ton honneur, dit Mikhail lorsque, au dessert, le serveur apporta en souriant un magnifique fondant au chocolat arrosé de crème anglaise.

Il haussa un sourcil moqueur.

— Je vois que mon chef t'est dévoué corps et âme.

— Pas du tout. François me remercie à sa façon pour notre bonne collaboration, répliqua-t-elle d'un ton léger.

Mikhail payait généreusement les membres de son personnel et les félicitait pour la qualité de leurs services, mais il s'adressait à eux uniquement quand il avait besoin d'eux. Alors que Kat bavardait spontanément avec chacun, de leur travail, bien sûr, mais aussi de tout et de rien.

Hélas, elle se sentait incapable de toucher au dessert préparé par François. Il serait déçu, et elle ne devait pas oublier d'aller s'excuser avant de quitter le bateau. Mais ce soir, une seule pensée l'occupait : elle ne dînerait plus jamais avec Mikhail. Quant à lui, il se comportait comme d'habitude et bavardait avec insouciance. S'il se sentait mal à l'aise, il le dissimulait bien…

Malgré ses bonnes résolutions, Kat sentit des larmes se presser sous ses paupières.

— Je suis fatiguée. Je crois que je vais aller me coucher.

— Vas-y. Je te rejoindrai plus tard, répliqua Mikhail en laissant glisser son regard sur son corps.

Kat se figea. Elle n'avait pas imaginé qu'il désirerait passer cette dernière nuit avec elle. L'émeraude n'était-elle pas son présent d'adieu ?

— Je préférerais dormir seule, ce soir, murmura-t-elle.

Stupéfait, Mikhail regarda Kat avec attention. Il ne s'était certes pas attendu à ce qu'elle le repousse et désire passer leur dernière nuit sans lui !

— Notre aventure est terminée, Mikhail. Et je serais incapable de faire semblant, ajouta-t-elle avant de se détourner pour se diriger vers la porte.

Bouillant d'indignation, blessé dans son amour-propre, il la regarda quitter la pièce. Faire semblant ? Elle aurait dû faire semblant ? Entre ses bras ? Cherchait-elle à l'insulter ?

Mikhail réprima les mots durs qui lui montaient aux lèvres. La meilleure attitude serait sans doute de lâcher prise. Oui, ce serait le plus logique. Mais cette femme défiait toute logique. Il ne méritait pas cette abstinence imposée, surtout après s'être conduit envers elle avec une douceur et une générosité exemplaires. Au moins, il n'y aurait ni drame ni crise d'hystérie. Kat ne semblait pas disposée à fondre en larmes ! Son visage ovale avait au contraire gardé toute sa sérénité : visiblement, le fait de le quitter ne la perturbait pas le moins du monde.

*
* *

Ce dernier dîner avait vraiment été un supplice songea Kat en finissant de se démaquiller. Il était temps d'admettre que Mikhail ne ressentait rien pour elle. Que leur aventure était bel et bien terminée.

Après avoir tourné et retourné toutes sortes de pensées contradictoires dans sa tête, elle finit par rallumer la lampe de chevet à 2 heures du matin et prit un magazine posé sur la table de nuit en soupirant.

Quelques minutes plus tard, un coup léger frappé à la porte de communication entre les deux chambres la fit sursauter. Repoussant vivement le drap, elle se leva et alla ouvrir.

— J'ai aperçu de la lumière, dit Mikhail en reculant de deux pas. Tu n'arrives pas non plus à dormir ?

Elle contempla son corps musclé seulement vêtu d'un caleçon de soie noire.

— Non, en effet, murmura-t-elle.

— Viens… chuchota Mikhail.

— Non, je ne peux pas.

Après avoir refermé la porte d'un geste rapide, Kat la verrouilla et s'y adossa en tremblant de la tête aux pieds. Elle était fière d'avoir tenu bon, mais son cœur battait si fort qu'elle avait l'impression qu'il allait exploser. Une nuit de sexe n'aurait pas apaisé la souffrance qui l'étreignait, se rappela-t-elle en s'écartant de la porte.

Les mâchoires crispées, Kat se recoucha et remonta le drap sur sa tête. Les larmes lui brûlaient les paupières, mais elle ne les laisserait pas couler, décida-t-elle farouchement.

Le lendemain matin, après n'avoir pas fermé l'œil de la nuit, Kat se fit servir le petit déjeuner dans sa chambre.

De toute façon, rien ne l'obligeait à supporter un nouveau tête-à-tête éprouvant avec Mikhail. Moins elle le verrait avant de partir, mieux cela vaudrait.

Après une douche rapide, elle s'habilla avec le plus grand soin et choisit une robe droite bleu vif et un boléro assorti. Puis elle se maquilla plus que d'ordinaire pour dissimuler les cernes soulignant ses yeux.

Au moment où elle vérifiait son aspect dans le miroir, Lara l'appela pour la prévenir que l'hélicoptère qui devait l'amener à l'aéroport serait prêt à décoller dans dix minutes. Il y avait une pointe de satisfaction perceptible dans sa voix. La belle assistante de Mikhail devait être ravie de la voir enfin quitter le yacht...

Le cœur serré, elle monta l'escalier de verre pour la dernière fois. Quand elle posa le pied sur le pont principal, le soleil répandait sa lumière dorée sur la mer et nimbait la silhouette de Mikhail qui se tenait à quelques pas, immobile. Ainsi, il l'attendait...

Kat le regarda sans dire un mot. Dans ce costume en lin écru il était d'une beauté irrésistible. A cette pensée, une douleur aiguë lui traversa la poitrine.

Une lueur indéchiffrable flambait dans les yeux de jais de son ancien amant.

— Bonjour, Kat.

— Au revoir, répliqua-t-elle en se forçant à sourire.

— Je ne veux pas te dire au revoir, répondit-il, les mâchoires crispées.

— Pourtant, il le faut, Mikhail.

Elle aperçut Stas, accoudé au bastingage à quelques mètres de son boss.

— Tu te trompes, *milaya moya*, rien ne nous y oblige.

Battant des paupières, Kat se concentra sur l'hélicoptère prêt à décoller.

— Reste... reprit Mikhail d'une voix rauque.

Abasourdie, elle tourna vivement la tête vers lui.

— Pardon ?

— Je veux que tu restes avec moi, dit-il lentement.

— Mais tout est organisé pour mon départ... Tu as tout organisé ! lança Kat avec colère.

Elle voulut s'avancer vers l'hélicoptère, mais Mikhail la retint par le bras.

— Reste ! répéta-t-il d'une voix sourde.

— Je ne peux pas ! protesta-t-elle en tentant de se dégager.

Sans dire un mot, Mikhail referma sa main libre sur l'autre bras de Kat.

— Je ne peux pas te laisser partir, dit-il en la regardant dans les yeux. J'ai besoin que tu restes.

Son aveu atteignit Kat en plein cœur. Il avait besoin d'elle, alors qu'il se targuait de n'avoir besoin de rien ni de personne.

— Tu me fais mal au bras, murmura-t-elle.

Il desserra aussitôt les doigts en poussant un juron étouffé, lança quelques mots brefs à Stas, puis la souleva dans ses bras avant de se diriger vers l'escalier de verre.

— Non ! protesta Kat. Je ne…

— C'est la chose la plus sensée que j'aie faite de la semaine, l'interrompit-il d'un ton impérieux.

S'engouffrant dans son bureau, il se laissa tomber sur un sofa en la gardant serrée dans ses bras.

— Tu restes avec moi, *laskovaya moya…*

— Mais, tu ne peux pas changer d'avis comme ça, à la dernière minute !

— Je reconnais avoir pris une mauvaise décision, alors je répare mon erreur. Est-ce que tu te rends compte que cela ne m'arrive jamais de reconnaître que je me suis trompé ?

Oh ! elle s'en rendait très bien compte ! Mais le comportement de Mikhail la plongeait dans un véritable chaos émotionnel. Elle s'était faite à l'idée de le quitter, et cela lui avait coûté toute son énergie, toutes ses forces. Et soudain, il désirait qu'elle reste avec lui…

— Je ne peux pas rester avec toi, Mikhail. Mes sœurs m'attendent. Et puis tout est fini entre nous, tu le sais aussi bien que moi.

— Si c'était vraiment fini, je te laisserais partir. J'ai

obéi à mon instinct, répliqua-t-il d'une voix rauque. Je ne peux pas te laisser t'en aller. Pas encore.

— Mais que comptes-tu faire ? demanda Kat avec anxiété.

— Je te ramène chez moi.

— Pardon ? demanda-t-elle avec stupeur. Tu m'emmènes chez toi ? Comme un animal domestique ?

— Je te demande de vivre avec moi. Je ne l'avais jamais proposé à aucune femme, répondit-il sans se départir de son calme.

Bouleversée, Kat le dévisagea. Tout se passait si vite qu'elle n'arrivait même plus à réfléchir, submergée par les images terriblement tentantes qui défilaient dans son esprit.

Ce redoutable homme à femmes lui avait-il bien proposé de vivre avec lui ? Horrifiée, elle sentit les larmes couler sur ses joues.

— Qu'est-ce qui ne va pas ? demanda Mikhail en fronçant les sourcils.

— Rien ! C'est juste… trop ! répondit-elle en passant une main nerveuse sur ses joues. Je ne peux pas m'installer avec toi comme ça. Je ne suis pas seule, j'ai…

— Tu parles de tes sœurs ? Je m'occuperai d'elles comme si elles faisaient partie de ma propre famille, affirma-t-il avec un sourire éblouissant.

— Mais il y a Birkside, je dois m'organiser…

— Je vais m'occuper de tout, ma douce. Tu vas t'installer avec moi, prendre soin de moi et de ma maison — c'est tout ce qui devra te préoccuper, dorénavant. D'accord ?

Kat serra les paupières pour refouler ses larmes. Elle aimait Mikhail et le détestait en même temps. Comme d'habitude, il décidait de tout sans lui laisser le temps de dire ouf, ni s'inquiéter de ses envies.

— Et si tu changes encore d'avis ? demanda-t-elle d'une voix tremblante. Si, dans quelques semaines, tu regrettes ta décision ?

— Je prends le risque ! Mais je serai toujours franc avec toi, *milaya moya*, et je ne veux pas te perdre.

Une boule dans la gorge, Kat s'efforça de respirer normalement. Mikhail avouait qu'il ne voulait pas la perdre et pourtant, il avait bien failli la laisser partir. Si elle était montée à bord de l'hélicoptère, serait-il venu la chercher ?

— Ma maison te plaira, j'en suis sûr, poursuivit-il. Tu y seras chez toi, à la campagne, et tu pourras inviter tes sœurs. Mais tu aimeras aussi ma demeure londonienne, tu verras. Au fait, la semaine prochaine, tu m'accompagnes au mariage de Luka.

Il lui caressa doucement les lèvres du bout du doigt.

— Ne t'inquiète pas, *laskovaya moya*, tout va fonctionner à merveille… murmura-t-il.

Et quand il prit sa bouche avec passion, toute inquiétude déserta l'esprit de Kat.

10.

— Tu crois que ton beau Russe envisage de t'épouser ?

Emmie recula dans la vaste cabine d'essayage en penchant légèrement la tête sur le côté.

— En fait, il t'a peut-être proposé de t'installer chez lui pour… faire un test… poursuivit-elle.

— Non, je ne crois pas, répliqua Kat avec calme. Mikhail semble très heureux de notre vie commune telle qu'elle est. Dis-moi franchement : qu'est-ce que tu penses de cette robe, Emmie ?

— Celle en lamé est mieux.

Emmie se tourna vers le miroir et posa la main sur son ventre.

— Je ne voudrais pas que tu souffres… Et tu ne rajeunis pas…

— Comme si j'avais besoin que tu me le rappelles ! l'interrompit Kat en éclatant de rire.

— Je ne plaisante pas, Kat ! Si tu veux avoir des enfants, il ne te reste pas tant de temps que ça.

— Emmie, il y a quelques mois encore, je n'avais aucun homme dans ma vie, rappela Kat en reprenant son sérieux. Je ne peux quand même pas m'attendre à ce que le premier que je rencontre souhaite fonder une famille avec moi ! Et puis ce n'est pas le genre de Mikhail. Alors, je m'estime très heureuse qu'il ait voulu vivre avec moi.

— Tu en as déjà discuté avec lui ?

Kat se raidit au souvenir du soir où elle avait eu la preuve que leur imprudence n'avait pas eu de conséquences. Quand elle lui avait annoncé qu'elle n'était pas enceinte, Mikhail n'avait fait aucun commentaire. En fait, il n'avait même pas levé les yeux du rapport qu'il était en train de lire. Mais ce qui avait le plus choqué Kat, c'était la déception qui l'avait envahie en découvrant qu'elle avait ses règles.

Au plus profond d'elle-même, elle désirait avoir un enfant de Mikhail, avait-elle compris avec stupeur. Même si elle était bien consciente que son désir relevait de la pure chimère.

Elle était maintenant complètement installée à Danegold Hall, une impressionnante maison de campagne à l'architecture géorgienne, et Mikhail avait insisté pour qu'elle y fasse effectuer tous les aménagements ou changements qu'elle jugerait nécessaires pour s'y sentir bien. Quant à Emmie, elle vivait désormais à Birkside et projetait d'ouvrir une entreprise, mais en attendant elle avait trouvé un petit job au village qui lui permettait de garder son indépendance.

De temps en temps, elles se retrouvaient à Londres pour une virée shopping. Et ce jour-là, elles cherchaient une robe pour Kat qui devait assister au mariage de Luka Volkov.

— Kat ? insista Emmie.

— N'oublie pas que Mikhail n'a que trente ans, répondit Kat d'un ton léger. Il a tout le temps de décider de se marier et d'avoir des enfants — à condition qu'il le désire un jour.

— Mais, s'il t'aime…

— Je ne crois pas que ce soit le cas, la coupa doucement Kat. Et je ne pense pas que notre relation dure toute la vie.

Elle se tourna vers sa sœur en souriant :

— Pour la robe, tu as raison : je prends celle en lamé argenté.

Puis elle ôta le fourreau de satin mauve et enfila ses propres vêtements avec bonne humeur, malgré l'inquiétude manifeste d'Emmie. Elle aimait Mikhail un peu plus chaque jour, et les questions de ses sœurs sur leur relation ne la perturbaient pas du tout. Elle était heureuse. Jamais, elle n'avait espéré connaître un tel bonheur.

Son téléphone vibra dans son sac, elle le prit et vit que l'appel provenait de Mikhail.

— Viens me retrouver au bureau, et nous irons déjeuner ensemble, *milaya moya*.

Kat esquissa un sourire et accepta aussitôt.

— Tu lui appartiens… dit Emmie en la regardant d'un air consterné. C'est ça qui m'inquiète.

— Que veux-tu dire par là ?

— On dirait que tu es… droguée de lui, répondit sa sœur. Même Topsy l'a remarqué quand elle a passé ce week-end avec vous. Dès que Mikhail entre dans une pièce, tu ne vois plus que lui.

— Je ne crois pas que cela puisse nuire à Topsy que je sois heureuse avec l'homme dont je partage la vie.

Un peu plus tard, Kat quitta sa sœur qui avait quelques courses à faire avant de regagner Birkside, et monta dans la limousine où l'attendait Ark, le jeune frère de Stas. Obsédé par la crainte qu'elle puisse être enlevée ou agressée, Mikhail avait insisté pour qu'elle accepte la présence d'un garde du corps dans tous ses déplacements. Bien sûr, elle avait d'abord refusé farouchement, mais Mikhail était si inquiet, qu'elle avait fini par céder. Et puis, Ark se montrait prévenant et discret — en dépit de son physique aussi impressionnant que celui de son frère aîné.

Lorsqu'elle arriva au siège de la société de Mikhail, celui-ci était encore en rendez-vous, et Lara l'accueillit avec un sourire froid. Puis la jeune femme se pencha pour mieux voir le pendentif qu'elle ne quittait presque plus.

— Vous permettez ? demanda-t-elle d'un ton poli.

Mal à l'aise, Kat hocha la tête tandis que Lara examinait l'émeraude.

— Ce bijou est magnifique, dit-elle en se redressant.

Une moue dédaigneuse se forma sur sa bouche sensuelle.

— Mais un peu trop voyant pour un déjeuner, ajouta-t-elle.

Kat ne répliqua rien. Pourquoi confier à Lara que Mikhail adorait la voir avec l'émeraude et qu'elle la portait pour lui faire plaisir ?

— Il n'avait encore jamais offert de cadeau aussi onéreux à une femme, poursuivit Lara d'une voix mielleuse. Vous devez être très contente de vous.

Décontenancée par le sous-entendu perfide contenu dans ces paroles, Kat la regarda en se demandant si elle avait bien entendu.

— Non. Je suis seulement… heureuse qu'il me l'ait offert.

— Je comprends ! Qui ne le serait pas, à votre place ? riposta vivement la jeune femme sans plus se soucier de feindre la politesse. Mais je pourrais vous révéler quelque chose qui effacerait ce sourire suffisant de votre visage !

Cette fois, elle allait trop loin.

— Je ne crois pas que ce soit une bonne idée, Lara, répondit Kat sèchement.

— En bien je vais vous le dire quand même, que cela vous plaise ou non ! Vous vous souvenez de la dernière nuit que vous avez passée à bord du yacht, avant votre faux départ ? Eh bien, Mikhail était avec moi… Cela montre à quel point il tient à vous !

Atterrée, Kat sentit ses mains devenir moites et de la sueur perler à son front. L'esprit embrumé, elle se rappela le moment où Mikhail avait frappé à sa porte, leur brève conversation, puis cette nuit affreuse durant laquelle elle s'était sentie si seule et abandonnée.

— Vous n'aviez pas encore compris qu'il couchait aussi avec moi ? poursuivit Lara d'un ton méprisant. Il l'a toujours fait. Je n'exige jamais rien en échange — je suis toujours disponible pour lui…

Un goût de nausée aux lèvres, Kat se leva de sa chaise et se dirigea vers la porte. Et quand elle passa devant Ark qui lui demanda si elle se sentait bien, elle ne répondit pas.

Au lieu de prendre l'ascenseur, elle descendit par l'escalier, sans prêter attention à Ark qui lui criait de s'arrêter. Sourde à ses protestations, elle dévala les dernières marches, le corps raide et comme anesthésié. Dans l'état où elle se trouvait, elle aurait été incapable de parler à quiconque…

Lorsqu'elle sortit du luxueux immeuble, elle se mêla à la foule anonyme qui se pressait sur le trottoir pour aller déjeuner. Sans réfléchir à rien, elle marcha longtemps, jusqu'au moment où elle sentit une douleur aiguë lui vriller les pieds. Evidemment, ses escarpins à hauts talons n'étaient pas conçus pour la marche. Machinalement, elle poussa la porte d'un café.

Insensible à l'effervescence qui l'entourait, elle resta assise devant sa tasse de thé et quand elle entendit son portable vibrer dans son sac, elle le sortit et constata qu'elle avait reçu six appels de Mikhail. Elle éteignit l'appareil avant de le remettre dans son sac. Elle n'avait pas envie de lui parler. En outre, rien ne l'y obligeait.

Lara était superbe, et jeune. Glamour, sophistiquée, intelligente : exactement le type de femme qui devait plaire à Mikhail. C'était elle qu'il aurait dû choisir, pas Kat.

Sauf qu'il n'avait pas choisi justement, il avait pris les deux. Lara n'avait pas pu mentir. Si elle n'avait pas passé la nuit avec Mikhail, elle n'aurait pas pu savoir que justement Kat était restée seule dans sa chambre, cette nuit là.

Mikhail entretenait-il une liaison avec son assistante, depuis son embauche ? A cette pensée, le cœur de Kat se serra, mais elle s'efforça de repousser la souffrance et la jalousie qui menaçaient de l'étouffer.

Comment avait-elle pu se tromper à ce point sur l'homme qu'elle aimait ?

Kat contempla sa tasse vide d'un regard morne. Vu qu'elle n'avait pas son passeport avec elle, ni aucune de ses affaires, elle était forcée de retourner à Danegold Hall. Comme un automate, elle quitta le café et se dirigea vers la station de métro la plus proche. Bien sûr, elle aurait préféré ne jamais remettre les pieds dans cette maison qu'ils avaient partagée, mais elle devait songer aux détails pratiques. Au moins elle n'aurait pas à affronter Mikhail. Après les révélations de Lara, il ne tenait sans doute pas non plus à se retrouver face à elle. Car sa chère assistante avait bien sûr dû tout lui raconter. Ark devait par ailleurs avoir entendu une partie de la conversation... Et il ne manquerait pas de rapporter les faits à son frère, qui à son tour ferait son rapport à Mikhail.

Dans le train qui la ramenait à Danegold Hall, Kat repassa dans son esprit les moments où elle avait vu Lara et Mikhail ensemble, cherchant des indices susceptibles de prouver leur intimité. Comment avait-elle pu se laisser aveugler par Mikhail au point de croire qu'il considérait son assistante comme indispensable à son travail, tout en étant insensible à son charme pourtant époustouflant ?

Non, elle n'avait rien remarqué, pas même le plus petit soupçon de flirt. Pauvre idiote...

Pourtant, quoiqu'elle fasse, elle n'arrivait pas imaginer Mikhail en as de la dissimulation. Comment avait-il pu la tromper en permanence, alors qu'il semblait fou d'elle, au moins sur le plan sexuel ?

Fatiguée de chercher en vain des réponses aux questions qui la tourmentaient sans pitié, Kat ferma les yeux. Mais, hélas, les visions douloureuses continuèrent à défiler en elle.

Quand elle sortit du train, elle vit avec surprise que l'un des chauffeurs de Mikhail l'attendait sur le quai. Le cœur en lambeaux, elle le suivit sans dire un mot et s'installa à l'arrière de la Bentley. Mikhail avait bien sûr deviné qu'elle serait obligée de rentrer à Danegold Hall. Et s'il était là, elle allait devoir s'expliquer sur son attitude. Non, en semaine, il ne se trouvait qu'exceptionnellement à la maison. Avec un peu de chance, elle pourrait se contenter de lui laisser un mot.

Pour lui dire quoi, au juste ? Elle aurait dû le haïr pour l'avoir trompée depuis le début. Mais elle s'en sentait incapable. Seule une terrible souffrance l'emplissait…

Lorsqu'elle arriva en haut des marches de pierre, Reeves, le maître d'hôtel, lui ouvrit la porte et la salua avec respect comme à son habitude. Kat eut du mal à sourire, mais elle s'avança la tête haute dans le hall. Arrivée au pieds de l'escalier, elle se pencha pour ôter ses escarpins qui la faisaient terriblement souffrir, puis monta les marches pieds nus et se dirigea droit vers la chambre qu'elle partageait avec Mikhail.

Dans le dressing, elle prit le coffret où elle gardait son passeport et différents papiers, puis alla le poser sur le lit avant de retourner chercher sa valise. La souffrance la transperçait, l'empêchant de réfléchir, la privant de toute logique. Une idée fixe tournait sans fin dans son esprit : si Lara savait que Mikhail n'avait pas dormi avec elle, cela signifiait forcément qu'elle avait passé cette nuit-là avec lui.

Alors qu'elle ouvrait un tiroir de sa commode, elle sentit un frisson lui parcourir la nuque et s'immobilisa.

— Tu ne me laisses même pas une chance de me défendre ?

Kat se retourna et vit Mikhail sur le seuil, en manches de chemises, une épaule appuyée nonchalamment au chambranle. Mais il n'y avait rien de nonchalant dans son regard de jais.

— Kat ? Je t'ai posé une question, insista-t-il.

— Oui, j'ai entendu, mais je ne sais pas comment y répondre. Parfois, il vaut mieux ne rien dire. Je ne veux pas me disputer avec toi, Mikhail — alors, à quoi bon parler ?

— C'est de nous qu'il s'agit, répliqua-t-il d'une voix dure. Tu trouves que cela ne vaut même pas la peine d'en parler ?

— Très bien, dit-elle en le regardant droit dans les yeux. As-tu couché avec elle ?

— Non.

Kat se retourna vers la commode.

— Evidemment, tu n'allais pas dire le contraire ! fit-elle en choisissant des sous-vêtements.

— Dans ce cas, pourquoi m'avoir posé la question ? gronda-t-il derrière elle. Est-ce que tu te rends compte de l'enfer que tu m'as fait vivre cet après-midi ?

Refusant de se laisser intimider, Kat alla déposer quelques affaires dans sa valise.

— Je ne peux pas dire que je me sois amusée non plus...

— D'abord, j'ai dû supporter une scène digne du plus mauvais goût de mon assistante, ensuite tu as disparu !

— Je n'avais pas disparu !

— Comment crois-tu que je me suis senti quand j'ai appris que tu étais partie après avoir écouté les absurdités de Lara ? J'étais mort d'inquiétude ! Je savais que tu étais troublée et...

Kat se tourna de nouveau vers lui.

— Comment pouvais-tu savoir que j'étais troublée ? Je n'étais pas troublée, Mikhail. J'ai été surprise — et plutôt dégoûtée, en fait. Alors j'ai eu besoin d'être seule...

— Tu avais besoin d'être seule pour réfléchir aux mensonges de Lara ? l'interrompit-il d'un air hautain.

— Je t'interdis de me parler sur ce ton ! s'écria Kat, à bout de nerfs.

Le silence retomba, puis Mikhail dit lentement :

— Excuse-moi. Je n'avais pas l'intention d'élever la voix.

— Quand on est accusé d'infidélité, on ne se comporte pas comme une brute !

— Accusé à tort ! se défendit-il aussitôt.

— Mikhail...

Kat déglutit avec peine et essaya de reprendre son calme.

— Lara savait que nous n'avons pas passé la dernière nuit ensemble, sur ton yacht. Comment aurait-elle pu le savoir si elle n'avait pas été avec toi ?

— Elle nous épiait ! Elle t'a entendue dire que tu voulais dormir seule. Alors, si c'est ta seule preuve, tu peux retirer tes accusations.

Confuse, Kat le regarda sans le voir.

— Tu es sûr que c'est comme cela qu'elle l'a su ?

— J'en suis absolument certain, bon sang !

Mikhail poussa un juron en russe et se dirigea droit vers elle.

— Kat, tu m'as vu à 2 h 30 cette nuit-là, et j'étais dans ma chambre, seul, rappela-t-il.

— Oui, mais…

A un mètre d'elle, il s'arrêta brusquement et sortit son téléphone de sa poche.

— Regarde, dit-il en lui tendant l'appareil. Stas a eu la présence d'esprit d'enregistrer Lara quand elle m'a fait sa grande scène…

Les yeux baissés sur l'écran, Kat vit d'abord de l'agitation floue et entendit du bruit, puis la voix de Lara.

— Pourquoi ne me désirez-vous pas ? criait la jeune femme. Vous auriez pu m'avoir ! Comment pouvez-vous me préférer cette femme ? Elle est vieille, terne, alors que je suis jeune et belle ! C'est insultant ! Et comment avez-vous pu lui proposer de s'installer chez vous ?

Horrifiée, Kat tendit le téléphone à Mikhail. Il le garda un instant dans sa main.

— Tu veux réécouter ? demanda-t-il doucement.

— Non… murmura Kat.

Ses jambes tremblaient si fort qu'elle s'assit sur le bord du lit de crainte de s'effondrer sur place.

Elle est vieille… terne… les mots repassaient en boucle dans sa tête sans qu'elle puisse les arrêter.

— Ark a tout entendu quand elle s'en est pris à toi, expliqua Mikhail. Il m'en a informée et j'ai interrogé Lara. Alors, elle est entrée dans une colère folle. Elle en a dit beaucoup plus, mais Stas n'a pas pu tout enregistrer. Elle était folle de jalousie, et furieuse que je ne la trouve pas attirante. Mais je reconnais que ce qui s'est passé aujourd'hui est ma faute.

— Comment cela, ta faute ?

— Un peu après que je l'ai embauchée, Lara m'a montré clairement qu'elle était prête à satisfaire tous mes désirs. Comme ce n'était pas la première de mes employées à me faire des avances, je n'ai pas considéré son attitude comme un motif de licenciement.

— Ah bon ? fit Kat avec étonnement.

— Je lui ai fait comprendre qu'elle ne m'intéressait pas sur ce plan-là, et en général, cela suffit pour que tout rentre aussitôt dans l'ordre. Mais Lara est très prétentieuse, elle a mal pris mon refus. Ensuite, quand elle a découvert que je m'intéressais à toi, son ressentiment n'a fait que s'accroître. Je pense qu'elle avait déjà essayé de semer la discorde entre nous : par exemple le jour de notre premier dîner ensemble. Je suis sûr que c'est elle qui avait donné des instructions à l'institut de beauté concernant ce maquillage excessif.

— Oui, tu as sans doute raison.

— Et plus tard, elle t'a prêté une robe rouge car elle sait que je déteste cette couleur !

— C'est si mesquin… Heureusement qu'elle n'a pas eu l'occasion de me nuire de façon plus sérieuse.

— Lara est incapable de comprendre qu'un homme puisse être attiré par une femme pour autre chose que son look.

Ne sachant comment interpréter cette remarque, Kat dévisagea Mikhail.

Soudain, il éclata d'un rire franc et sonore. Puis souleva sa valise et la posa sur le sol avant de s'asseoir sur le lit, à côté de Kat.

— Je te trouve bien plus belle que Lara, *laskovaya moya*.

— Ce n'est pas possible… Je suis vieille et terne… murmura Kat en sentant les larmes lui monter aux yeux.

— Je t'ai trouvée superbe dès la première seconde où je t'ai vue. Tu avais tellement de classe et de force… au point de me repousser ! Ce qui m'a choqué et agacé, je l'avoue !

— Pour une fois qu'une femme te disait non… Cela ne t'a pas fait de mal, répliqua-t-elle sans réfléchir.

Mikhail lui passa le bras autour des épaules et l'attira contre lui.

— Tu as raison, mais cet après-midi j'ai eu si peur que j'ai cru devenir fou. Je voulais absolument garder le contrôle de ce que je ressens pour toi, et puis tout à coup, quand j'ai compris que je pourrais te perdre, tout le reste m'a paru sans importance…

— Ce que tu ressens pour moi ? demanda-t-elle dans un souffle.

Mikhail lui prit le menton et fit doucement tourner son visage vers le sien. Une chaleur inconnue éclairait ses yeux noirs.

— Je t'aime tellement, Kat… que je ne peux pas imaginer de vivre sans toi. Jusqu'à aujourd'hui, je considérais ces sentiments comme une faiblesse et une erreur. J'ai vu mon père sombrer dans la boisson après la mort de ma mère. Il se comportait de façon cruelle vis-à-vis d'elle, il lui était infidèle, mais quand elle est partie pour toujours, il s'est effondré. Il était beaucoup plus dépendant d'elle qu'il ne le pensait.

Il s'interrompit un instant et lui caressa doucement la joue.

— J'étais terrifié de voir le gouffre dans lequel sa dépendance l'avait entraîné. Je pensais qu'il souffrait d'une obsession. Et je me suis dit que je devais m'en protéger parce que, comme mon père, j'ai tendance à être autoritaire et impérieux. Et quand je t'ai rencontrée, tu as tout chamboulé…

A ces mots, Kat sentit une douceur délicieuse l'envahir.

Il y avait une telle sincérité dans le regard de Mikhail… Une telle tendresse…

— Moi aussi je t'aime, chuchota-t-elle en appuyant son front contre son épaule.

— Ce matin-là, le jour où tu devais quitter le yacht, j'ai essayé de me forcer à te laisser partir, poursuivit Mikhail. Mais j'ai découvert que je ne pouvais pas. Cette nuit passée sans toi avait été la pire de ma vie. Je brûlais de désir pour toi. J'avais besoin de toi : je n'avais pas le choix. Tu avais conquis mon cœur. Pour toujours, *laskovaya moya*.

— Tu l'as bien caché, dit Kat en redressant la tête.

En même temps, elle comprit qu'elle aurait sans doute pu le découvrir dans son regard lorsqu'il la prenait dans ses bras, ou quand il la gardait serrée contre lui durant toute la nuit. Mais elle avait été trop esclave de ses propres peurs pour y voir clair.

— Je ne me cacherai plus. Dis-moi, m'aurais-tu cru si je ne t'avais pas fait écouter cet enregistrement ?

— Oui… Tout au fond de moi, je n'arrivais pas à croire que tu aies pu te conduire de façon aussi lâche.

Mikhail enfonça la main dans la poche de son pantalon, puis en sortit une bague qu'il lui passa doucement à l'annulaire.

— Je l'ai achetée le jour où tu t'es installée à Danegold Hall.

Kat contempla avec émerveillement le diamant étincelant de mille reflets changeants.

— Et tu ne me l'as pas offerte ?

— Non. Je suis têtu comme une mule, *lubov moya*. Cela veut dire : mon amour et tu es la seule femme que j'aie jamais aimée. Katherine Marshall, acceptez-vous de devenir ma femme — le plus rapidement possible ?

— Oui ! s'écria Kat en se jetant dans ses bras et en le poussant sur le lit. Mais pas avant que je ne t'autorise à quitter cette chambre : c'est-à-dire pas avant demain.

Elle se redressa et lui adressa un sourire malicieux.

— Ou peut-être même… après-demain !

Un sourire ravi illumina le beau visage viril de son fiancé.

— Je suis vraiment stupide, dit-il d'une voix rauque. J'aurais dû te donner cette bague dès le premier jour…

Epilogue

Trois ans plus tard.

La gorge nouée par l'émotion, Kat regardait dormir les jumeaux, Petyr et Olga. A deux mois, ils étaient encore minuscules et leurs yeux bleus commençaient à virer au vert. Mais leurs cheveux seraient sans doute aussi noirs que ceux de leur père, songea-t-elle en contemplant le fin duvet foncé.

Petyr dormait peu et s'agitait beaucoup, tandis qu'Olga semblait avoir hérité d'un tempérament plus calme, dieu merci !

A vrai dire, Kat n'arrivait pas encore à croire qu'elle avait enfanté ces deux petites merveilles. Après avoir épousé Mikhail, elle n'était pas tombée enceinte rapidement comme elle l'espérait. Mais après toutes sortes de tests, et pas mal de persévérance, c'était enfin arrivé.

Elle se souvenait encore de la joie immense ressentie en découvrant les deux minuscules fœtus à l'échographie, quelques semaines plus tard. Mikhail était présent, bien sûr, et ce n'était que lorsqu'il lui avait doucement essuyé les joues que Kat s'était rendu compte qu'elle pleurait.

Tout au long de sa grossesse, il ne l'avait pas quittée plus de douze heures d'affilée, en dépit des efforts de Kat pour le rassurer. Mais Mikhail était resté marqué par la tragique expérience de sa mère, aussi ne voulait-elle rien faire qui puisse l'inquiéter. Il avait gardé de son enfance l'impression que l'accouchement était une épreuve dangereuse et dramatique, même pour une femme en excellente santé.

C'était aussi à ce moment-là que Kat avait compris pourquoi il ne semblait pas particulièrement pressé d'avoir un enfant. Au début de leur mariage, il avait souvent répété qu'il ne serait pas moins heureux s'ils n'avaient jamais d'enfant. Sur le coup, ces paroles l'avaient blessée. Elle avait craint qu'il ne désire pas vraiment avoir d'enfant. Mais une fois de plus, elle s'était trompée. Son mari était simplement terrifié à l'idée que l'accouchement puisse mal se terminer. Si bien que, dès qu'il avait appris qu'elle attendait des jumeaux, il l'avait fait suivre par les spécialistes les plus éminents.

Les larmes aux yeux, Kat repensa au moment où, après la venue au monde de leurs enfants, il l'avait prise dans ses bras en jetant à peine un regard aux nouveau-nés.

— Dieu merci, tu es saine et sauve, *lubov moya*. C'est tout ce qui compte, avait-il murmuré d'une voix tremblante.

Le temps n'avait pas altéré leur amour. Au contraire, en trois ans, le lien qui les unissait s'était approfondi chaque jour. Mikhail était peu à peu sorti de sa réserve et, comme il l'avait promis, il considérait les sœurs de Kat comme faisant partie de sa propre famille.

— Tu ne te lasses pas de les admirer…

Au son de la belle voix grave de son époux, Kat se retourna.

— Je ne peux pas m'en empêcher… Je n'arrive toujours pas à croire que ce sont nos enfants, avoua-t-elle.

Un sourire se dessina sur la bouche sensuelle de Mikhail tandis qu'il la rejoignait et contemplait leur fils et leur fille.

— Ce matin, au réveil, ils ressemblaient pourtant à de vrais petits diables, remarqua-t-il avec humour. Quels cris !

— Ils avaient faim, dit Kat en prenant aussitôt leur défense.

Mikhail la fit lentement pivoter vers lui.

— Moi aussi, *lubov moya*. J'ai très faim de ma ravissante épouse et je suis impatient de l'avoir tout à moi pendant quelques jours.

Mikhail sourit en voyant une lueur de surprise traverser les magnifiques yeux verts de son épouse.

— Tu comptes prendre un congé ?

— Oui, et je t'emmène sur une île déserte.

— Tu crois que c'est prudent, avec deux bébés ? répliqua-t-elle en plissant son beau front d'ivoire.

— Ils ne viendront pas avec nous.

Voyant Kat entrouvrir les lèvres pour protester, il continua d'une voix douce mais ferme :

— J'ai tout arrangé : tes sœurs vont s'occuper d'eux en notre absence — et elles sont ravies, crois-moi ! — Je veux absolument que nous fêtions notre troisième anniversaire de mariage, seuls, toi et moi.

— Mais nous ne pouvons pas les laisser, Mikhail… Ils…

— Même avec deux gouvernantes, tes sœurs, et tout le personnel de Danegold Hall pour veiller sur eux ? l'interrompit-il d'un ton espiègle.

Kat se mordilla nerveusement la lèvre.

— Moi aussi j'ai besoin de toi, dit-il d'une voix rauque en penchant lentement la tête vers elle.

— Je… Sur une île déserte ?

— Plage de sable blanc, eaux turquoise, aucun vêtement…

— Ah, je vois… ! s'exclama Kat avec un éclat de rire.

— Je vais t'offrir des moments de volupté que tu n'oublieras jamais, *lubov moya*.

Il prit sa bouche en un baiser brûlant qui fit naître des frissons de plaisir au plus profond de Kat.

Une deuxième lune de miel sur une île déserte, avec Mikhail tout à elle… Ma foi, c'était une excellente idée !

collection Azur

Ne manquez pas, dès le 1er juillet

MARIÉE SOUS CONTRAT, *Trish Morey* • N°3485

Pour apporter un peu de réconfort à son grand-père malade, Simona a imaginé un plan aussi fou qu'audacieux : proposer à Alesander Esquivel de l'épouser. Bien sûr, elle sait que leurs deux familles se détestent depuis toujours, mais il s'agirait d'un mariage de convenance, jusqu'à la mort du vieil homme. Celui-ci pourra ainsi croire que les vignes qu'il a jadis cédées à son pire ennemi sont revenues dans la famille. Et tant pis si elle doit en échange abandonner à Alesander le peu de terres qu'il lui reste. Mais à mesure que le mariage approche, Simona sent sa résolution faiblir. Ne commet-elle pas une folie en liant son destin, même temporairement, à cet homme qu'elle connait à peine, mais qui éveille en elle des sentiments intenses et troublants ?

LE SECRET D'UN MILLIARDAIRE, *Cathy Williams* • N°3486

Enceinte ? Non, Holly refuse de croire que le destin puisse se montrer aussi cruel. Il y a quelques semaines encore, cette nouvelle l'aurait emplie de joie. Aujourd'hui hélas, elle sait que Luiz Casella, l'homme qu'elle aimait de tout son cœur, s'est joué d'elle. L'impitoyable milliardaire ne lui a-t-il pas caché sa véritable identité pendant toute l'année qu'à duré leur relation ? Pourtant, en dépit de sa colère et de son chagrin, Holly ne se sent pas le droit de lui cacher son état. Mais lorsque Luiz exige alors qu'elle devienne sa femme, elle sent la panique l'envahir. Comment se résoudre à un mariage de convenance avec cet homme en qui elle n'a aucune confiance ? Sauf qu'il est de son devoir d'offrir le meilleur à cet enfant qui grandit en elle…

L'HÉRITIER D'ALESSANDRO MARCIANO, *Melanie Milburne* • N°3487

Enfant Secret

Quand Alessandro Marciano pénètre dans l'agence de décoration qu'elle a créée, Scarlett sent son sang se glacer. Comment ose-t-il se présenter devant elle – pire : exiger qu'elle travaille pour lui – après la façon odieuse dont il l'a traitée quatre ans plus tôt ? Jamais elle n'oubliera cette nuit terrible où il l'a jetée hors de chez lui, en la traitant d'aventurière prête à tout pour se faire épouser, alors qu'elle venait de lui annoncer sa grossesse ! Mais, aujourd'hui, l'importante somme d'argent qu'il lui propose lui permettrait d'offrir à son fils la vie meilleure dont elle rêve pour lui. Et puis, n'est-ce pas l'occasion inespérée de forcer Alessandro à accepter la vérité ? Car, dès qu'il aura vu Matthew, il ne pourra plus douter qu'il s'agit bien de son fils...

UNE PRINCESSE INSOUMISE, Michelle Conder • *N°3488*

Alors qu'elle séjourne en France, la princesse Ava apprend, dévastée, la mort de son frère aîné dans un terrible accident. Mais une vague de panique s'ajoute à sa profonde tristesse lorsqu'elle comprend qu'elle est maintenant l'héritière de la principauté et qu'elle sera désormais placée sous la protection rapprochée de James Wolfe. Wolfe… l'homme entre les bras duquel elle vient de vivre, sur une impulsion, une brûlante nuit de passion. N'avait-elle pas désespérément besoin de s'offrir une folie avant de rentrer à Anders, où l'attendait une vie d'obligations et de devoirs ? Des devoirs auxquels elle doit, plus que jamais, se consacrer corps et âme. Mais comment le pourrait-elle avec cet homme troublant à ses côtés - jour et nuit ?

UN JEU SI TROUBLANT, Ally Blake • *N°3489*

Un ego meurtri et une montagne de dettes, voilà tout ce que sa dernière relation sentimentale a apporté à Saskia. Aussi est-elle bien décidée à se tenir désormais à distance des hommes. Mais lorsque le beau Nate Mackenzie lui propose de rembourser ses dettes si elle accepte de se faire passer pour sa fiancée auprès de sa famille, la tentation est forte d'accepter. N'a-t-elle pas terriblement besoin de cet argent ? Et puis, ces six semaines seront vite passées… Hélas, Saskia se demande bientôt si elle n'a pas commis une terrible erreur. Car, tandis que les jours passent, Nate se révèle aussi séduisant qu'il est sexy. Au point qu'elle doit finir par admettre qu'il a le pouvoir de la blesser bien plus cruellement que tous les autres hommes réunis...

UN ÉTÉ EN ECOSSE, Kim Lawrence • *N°3490*

En acceptant le poste de gouvernante auprès de la petite Jasmine, Anna sait qu'elle s'engage dans une voie dangereuse. Car ce travail va la contraindre à cohabiter avec Cesare Urquart, l'oncle de la petite fille, qui ne fait rien pour lui dissimuler son hostilité, et qu'elle-même déteste. N'est-ce pas justement à cause de Cesare qu'elle n'a pu obtenir le poste de directrice de l'école du village ? Alors, puisque la jeune sœur de Cesare a décidé de lui confier sa fille, Anna compte bien en profiter pour prouver sa valeur. Et tant pis si cela ne plait pas à cet homme dont les traits si séduisants cachent un caractère odieux et une insupportable arrogance !

PRISONNIÈRE AU PALAIS, Sara Craven • *N°3491*

Andrea Valieri est prêt à tout pour se venger des Sylvester qui ont détruit sa famille. Et, aujourd'hui, cette chance se présente enfin à lui, sous les traits délicats de Madeleine Lang – la jeune fiancée de Jeremy Sylvester. C'est décidé, Andrea trouvera le moyen de l'attirer en Italie et là, de la retenir prisonnière jusqu'à obtenir les preuves qui blanchiront le nom des Valieri… Mais sitôt son plan mis à exécution, il comprend qu'il a négligé un détail important : la beauté à couper le souffle de la jeune femme. Pourtant, hors de question de céder au désir fou que celle-ci lui inspire : pour mener à bien sa vengeance, Andrea doit considérer Madeleine comme un pion, pas comme la femme vibrante de colère et de passion dont le corps de rêve hante ses nuits...

UN MOIS AVEC UN PLAY-BOY, Kimberly Lang • *N°3492*

Avoir été choisie pour récolter les fonds qui permettront de reconstruire les quartiers les plus pauvres de La Nouvelle-Orléans ? Pour Vivienne, c'est le couronnement d'années d'engagement caritatif. Mais collaborer avec Connor Mansfield, ce play-boy inconstant et cynique ? Cela lui semble insurmontable. Pourtant, Vivienne le sait, en tant que star internationale, Connor donnera une visibilité nouvelle à l'événement et permettra d'attirer de nombreux dons. Comment pourrait-elle être assez égoïste pour refuser cette collaboration ? Mais si elle doit faire bonne figure en public, elle se promet de tout faire pour effacer définitivement du visage de Connor ce sourire agaçant – et bien trop sexy – qu'il ne semble destiner qu'à elle seule...

UNE NUIT D'AMOUR AVEC LE CHEIKH, Lynne Graham • *N°3493*

- Amoureuses et insoumises - 2ème partie

Saffy ne décolère pas. Comment Zahir a-t-il osé la faire enlever ? Bien sûr, elle sait très bien que son ex-mari, le puissant cheikh de Maraban, a tout pouvoir dans son royaume. Mais elle n'aurait jamais imaginé qu'il utiliserait ce pouvoir contre elle ! Pire, il ne lui rendra sa liberté que si elle accepte de partager son lit une dernière fois. A cette idée, la colère de Saffy se teinte d'un trouble indéfinissable. Depuis leur divorce, aucun homme n'a su éveiller en elle ce feu brûlant, ce frisson... alors, n'est-ce pas l'occasion de s'offrir tout ce qu'elle désire ? Pour une nuit ? Ensuite, elle s'en fait la promesse, elle retournera à la vie qu'elle s'est construite à Londres, loin de Zahir...

AMOUREUSE D'UN CORRETTI, Kate Hewitt • *N°3494*

- La fierté des Corretti - 4ème partie

Rien n'aurait pu préparer Lucia à revoir Angelo Corretti, l'homme qu'elle n'a jamais cessé d'aimer malgré le lourd secret qu'elle porte depuis leur unique nuit de passion, sept ans plus tôt. Troublée, émue malgré elle, Lucia sait qu'elle doit à tout prix lui cacher ses sentiments puissants et tumultueux. Car Angelo n'est pas revenu en Sicile pour elle, mais uniquement guidé par sa haine des Corretti et par sa détermination à se venger d'eux. Si elle ne veut pas avoir, une nouvelle fois, le cœur brisé, Lucia va devoir garder ses distances avec Angelo Corretti, et tourner le dos au désir qu'elle voit briller dans son regard...

Attention, numérotation des livres différente pour le Canada : numéros 1922 à 1931.

Composé et édité par les

éditions HARLEQUIN

Achevé d'imprimer en mai 2014

La Flèche

Dépôt légal : juin 2014

Imprimé en France